£2.49

Der Stiftsbibliothekar, ein hochwürdiger Prälat und Gelehrter, hat während eines langen Sommers seinen Neffen zu Besuch. Um den kostbaren Boden des barocken Büchersaals zu schützen, soll der Nepos an die Besucher Filzpantoffeln austeilen. Der Junge merkt bald, daß sich ihm neue Welten öffnen – die Welt der Bücher und des anderen Geschlechts. Fasziniert beginnt er zu lesen und wagt es, scheue Blicke unter die Röcke der Besucherinnen zu werfen, die bei ihm in die Pantoffeln schlüpfen müssen. Das Fräulein Stark, die Haushälterin des Stiftsbibliothekars, mißtraut dem Fleiß des Jungen. So entsteht zwischen ihr und dem »Pantoffelministranten« ein leiser Kampf, der sich zum Sommerende hin in eine heimliche Liebe verwandelt.

Thomas Hürlimann, 1950 in Zug geboren. Nach dem Besuch der Klosterschule in Einsiedeln Studium der Philosophie in Zürich und Berlin. Für sein Schaffen, das Prosa und Theaterstücke umfaßt, wurde Hürlimann mit zahlreichen renommierten Preisen ausgezeichnet, 1997 mit dem Literaturpreis der Konrad Adenauer-Stiftung, 1998 mit dem Solothurner Literaturpreis und 2001 mit dem Joseph-Breitbach-Preis.

Im Fischer Taschenbuch Verlag sind von Hürlimann außerdem erschienen: ›Die Satellitenstadt‹ (Bd. 11879), ›Das Gartenhaus‹ (Bd. 14788), ›Der große Kater‹ (Bd. 14659) und der Band ›Das Lied der Heimat‹ (Bd. 14277), in dem alle Stücke zu finden sind. Zuletzt veröffentlichte Thomas Hürlimann ›Himmelsöhi, hilf!‹

Unsere Adresse im Internet: www.fischer-tb.de

Thomas Hürlimann

Fräulein Stark

Novelle

Fischer Taschenbuch Verlag

Veröffentlicht im Fischer Taschenbuch Verlag,
einem Unternehmen der S. Fischer Verlag GmbH,
Frankfurt am Main, September 2003

Lizenzausgabe mit freundlicher Genehmigung
des Ammann Verlages & Co., Zürich
© 2001 by Ammann Verlag & Co., Zürich
Satz: Gaby Michel, Hamburg
Druck und Bindung: Clausen & Bosse, Leck
Printed in Germany
ISBN 3-596-15548-7

Für Marie-Luise und Egon Ammann

Mein Onkel war Stiftsbibliothekar und Prälat, seine Hüte hatten eine breite, runde Krempe, und gedachte er die Blätter einer tausendjährigen Bibel zu berühren, zog er Handschuhe an, schwarz wie die Dessous meiner Mama. An Bord unserer Bücherarche, sagte der Onkel, haben wir schlicht und einfach alles, von Aristoteles bis Zyste.

Wie ein Zirkusclown hatte er einige Nummern einstudiert, und seine Lieblingsnummer ging so: Im Anfang war das Wort, sprach der hochwürdige Stiftsbibliothekar, dann kam die Bibliothek, und erst an dritter und letzter Stelle stehen wir, wir Menschen und die Dinge. Dabei zeigte er zur Decke, wohl auf Gott, dann auf sich, die Bibliothek, und war vom Dritten und Letzten die Rede, ließ er den Blick in die Runde schweifen, von einer Besucherin zur andern.

Keiner erklomm so elegant wie mein Onkel die Altarstufen, die Meßgewänder mit der Linken raffend, wobei seine Schnallenschuhe unter den rotseiden aufleuchtenden Rocksäumen hervortanzten, und wer je erlebt hat, wie er als Meßpriester das Wandlungswort jubelnd, ja verzückt zum Altarbild hinaufschmetterte, senkte er schrocken, fast ein wenig angewidert den Blick. Am Schluß der Messe wurde man mit einem donnernden Ite missa est! aus dem Dösen gerissen, dann mit Weihwasser naßgespritzt, und war der Herr Stiftsbibliothekar in Frohlaune, rauschte er gleich nach dem Segen quer durch das Schiff zur Orgel empor, die Pfeifen tuteten los, der Boden erzitterte, und weder das Fräulein Stark, seine Haushälterin, noch die Hilfsbibliothekare wären erstaunt gewesen, wenn der gewaltige Orgelsturm die Kuppeln der Kathedrale abgehoben und wie Ballone über das Alpsteingebirge davongeweht hätte.

2

1805, als die Französische Revolution die Alte Schweiz erfaßt hatte, war die Fürstabtei aufgehoben worden. Die Mönche zerstreuten sich, aber nach wie vor strömte das fromme Volk in die Kathedrale, und die Bibliothek, seit dem frühen Mittelalter in aller Welt berühmt, blieb mit dem gesamten Bestand erhalten. Sie nahm den zweiten und dritten Stock im Südflügel des ehemaligen Klosters ein, war mit Nuß- und Kirschbaumholz ausgeschalt und schien, wenn Licht durch die hohen Fenster flutete, wie ein barockes Raumschiff durch die kaltfeuchte Steinwelt zu schweben. Da sein Vorgänger von einer bösen Gicht geplagt worden war, hatte mein Onkel seine privaten

Gemächer dick mit Teppichen ausstaffiert und das Studierzimmer, wo er sich nach dem Essen auf den Diwan legte, in eine plüschrote, nach Zigarettenrauch, Rasierwasser und alten Folianten riechende Höhle verwandelt. Ein geschnitzter Elephant hatte Stoßzähne aus Elfenbein und trug auf dem abgeplatteten Schädel eine Krone aus Whisky- und Cognacflaschen. In der Ecke summte ein Samowar, und vor jeder Ikone und jedem Marienbild flackerten Tag und Nacht die vielen Flämmchen wachsverklumpter Kerzen. Im Eßzimmer, wo er am Kopf einer langen Tafel zu speisen pflegte, herrschte die Strenge des Klosters, das hohe Gewölbe war kahl vergipst, schwarz glänzten die Türen, und die Bilder zeigten überlebensgroß ehemalige Fürstäbte und Stiftsbibliothekare mit wachsbleichen, lippenlosen Geisteshäuptern. Aber vor dem Onkel war der Tisch mit Damast bedeckt, der Porzellanteller paßte zum Silberbesteck, und seinen Trollinger ließ er sich aus einer Kristallkaraffe eingießen.

Dies besorgte das Fräulein Stark.

3

Das Fräulein Stark, die Haushälterin, nahm die Mahlzeiten in der Küche ein und betrat das Eß- und Herrenzimmer nur, wenn Monsignore geklingelt hatte. Zwar blieb die Tür zwischen den beiden offen, so daß der On-

kel das Suppenschlürfen der Stark und die Stark das An-
knipsen seiner Zigaretten hören mußte, aber nie setzte
sich dieses Paar an denselben Tisch, nie fielen sie miteinander ins Bett, und nicht einmal im Grab, wo beide seit
längerem liegen, hat man sie zusammengelegt.

Sie hieß Magdalena und war im Appenzellischen
aufgewachsen, hoch oben in den Bergen. Ihre Mutter soll
früh gestorben sein, im achten oder neunten Kindbett,
doch schien dies den Vater, einen knorrigen Bergbauern,
nicht bekümmert zu haben. Stumm war er vor diesem
Tod gewesen, stumm war er nach diesem Tod, mißtrauisch gegen die Welt und noch mißtrauischer gegen
die eigene Brut. Er haßte die kleine Magdalena, er haßte
ihren Lehrer, und außer der Bibel, in der er tagtäglich
einen Vers unter dem gekrümmten Zeigefingernagel zu
enträtseln versuchte, haßte er alles, was geschrieben war:
Gesetze, Zeitungen, Fahrpläne, Telephonbücher, Melk-
broschüren, das Amtsblatt, sein Dienstbüchlein, ja sogar
die Verordnungen zur Schweinezucht, von der er lebte.
Auf entlegenen Alpen wurde übersömmert, fernab von
Kirche und Schulhaus, und kaum war die Frau in der
Erde verscharrt, zog er mit seiner Kinderschar ganzjäh-
rig in ein winddurchheultes, schon im Oktober im Winter versinkendes Schattental hinauf.

War das Fräulein fromm? Vermutlich schon, doch
muß es eine eigene, appenzellische und sehr weibliche
Frömmigkeit gewesen sein. Vom blutigen Heiland wollte

sie nichts wissen, das war eine Sache für Männer, ein dümmliches Geplänkel mit römischen Landsknechten und jüdischen Pharisäern. Die schwarze Madonna jedoch, die im hinteren Schiff der Kathedrale eine Art Grotte bewohnte, suchte sie Morgen für Morgen auf, hier war sie zu Hause, hier wurde sie ruhig, ihre niedere Stirn verlor die Falten, und plötzlich, das habe ich mehrmals beobachtet, lächelten beide das gleiche Lächeln, die holzgeschnitzte Madonna und die stämmige Magdalena Stark, die es aus den Appenzeller Bergen in die Stadt verschlagen hatte, in den ehrwürdigen Haushalt des Stiftsbibliothekars.

Dieser wandelte in Glockenröcken durch sein Bücherhaus, und sie hatte am liebsten Hosen an. Er war ein Schmecker und Lecker, allerdings überzeugt, als Geisteskopf über die Ding- und Fleischeswelt erhaben zu sein, und sie gab sich als ehrliche Haut, als einfaches Gemüt. Für eine Appenzellerin war sie groß, jedenfalls größer als Monsignore, und er unterschied sich mit seinem Lippenfleisch, dem runden Bauch und einem Schalk, der ihm trotz des Römerkragens im Nacken saß, deutlich von der Hagerkeit seiner Vorgänger. Kam er spät in der Nacht mit zwei von Schmissen entstellten Altherren durch das Portal gestolpert, fiel es der Stark nicht schwer, die besoffenen Brüder zu verjagen und ihren Monsignore, der auf einmal friedlich wurde, durch das Labyrinth der Gestelle des Katalogsaals in seine von Vorhängen und einem Baldachin geschützte Bettstatt zu bugsieren. Das fand ich lustig, sogar zum Lachen, aber die Stark, nachts trug sie einen blauen Trainingsanzug, packte mich am Handgelenk und führte mich dann so entschieden in meine Kammer zurück, wie sie es eben mit Monsignore gemacht hatte. Sie schien es nicht zu mögen, daß ich mich für das nächtliche Onkelleben interessierte. Wenn er ins Kotzen kommt, befahl sie barsch, hältst du dir die Ohren zu, gute Nacht.

Der Stiftsbibliothekar schrieb eine Broschüre nach der andern, und sie, die in einer buchstabenfeindlichen, bilderlosen Stube aufgewachsen war, malte in einer girlandenartig die Linie umrankenden Kinderschrift höchstens mal ihren Namen: Frl. Stark. Sie sprach ein näsliges, hinter der Stirn verhockendes Appenzellerisch, und er parlierte in allen Weltsprachen, lateinisch, französisch, italienisch, spanisch, englisch, angeblich auch russisch, paß auf, Nepos, rief er dröhnend, jetzt lache ich wie Iwan Abramowitsch, ho ho ho, he he he!

Der Stiftsbibliothekar ließ ihr Taschen aus Krokoleder, modische Hüte, Regenschirme, Kölnischwasser und einmal sogar einen Rasierapparat für Damen schikken, und sie, die seine Geschenke hinter den Bücherreihen der unteren Gestelle versenkte, briet ihm Enten, braute zur Ochsenzunge eine Rotweinsauce, und während der Fastenzeit, wenn er zwanzig Kilo abspecken wollte, servierte sie ihm mit Waldkräutern gewürzte

Bachforellen. Im Winter stopfte sie Wärmflaschen unter seine Decken, und im Sommer, wenn er stöhnend unter der Hitze litt, zog sie ihm eine rotgefütterte, knisternd leichte Soutane über, angeblich eine Maßanfertigung, die eine Römer Exklusiv-Boutique für Monsignore geschneidert hatte.

Echte Seide, sagte das Fräulein Stark, etwas Feineres gibt es nicht.

Doch, sagte ich, und dachte an die Bücherhandschuhe des Onkels.

4

Wochen vor meiner Abreise hatte mich ein schlimmes Heimweh geplagt, auch Angst vor der Stark, doch kaum war ich angekommen, fühlte ich mich großartig, hier war es schöner als zu Hause, wo sie wieder einmal die Wickelkommode aufgestellt, die Wiege bezogen, die Geburtsanzeigen entworfen und Puder gekauft hatten: Babypuder. Es geschah zum dritten oder vierten Mal, und alle ahnten wir, daß es auch diesmal schiefgehen würde, nur Totes würde Mama gebären, einen blutig verschleimten Klumpen, den man an der Hintertür der Klinik an die Schweinemäster abgab. Damit wollte ich nichts zu tun haben, die Eltern hatten recht, in der Bibliothek war ich am richtigen Platz. Hinter dem Katalogsaal hatte ich eine eigene, mit alten Schwarten, Atlanten, Globen und Weltmodellen vollgerümpelte Kammer, ich durfte im Saal die Mumie berühren, in der Kathedrale auf der Orgelbank sitzen, durch den Estrich streunen, in die Keller steigen und vor allem: Der Onkel hatte mir einen Posten anvertraut, ich gehörte zur Mannschaft, ich war einer von ihnen. Du *arbeitest* nicht, hatte mir der Onkel eingeschärft, du bekleidest ein Amt. Ich hörte es gern, ich fühlte mich gut. Geld verdiente ich nicht, aber von Tag zu Tag, von Frau zu Frau wurde mein Dienst ein wenig spannender, ein wenig geheimnisvoller...

Es begann um neun Uhr morgens. Durch das Treppenhaus des alten Klosters hörten wir unsere Besucherinnen laut schwätzend heraufkommen, die beiden Empfangsdiener jedoch – nach alter Gewohnheit waren sie zehn Minuten zu früh auf ihren Plätzen – ließen erst einmal die Köpfe sinken, müde waren sie, müde vom gestrigen Tag, müde vom lebenslangen Hocken und Warten und Dösen, und dachten nicht daran, ihre Tätigkeit vor dem endgültigen Verhallen des neunten Glockenschlags aufzunehmen. Dann hoben sie schließlich doch ihre behandschuhte Linke und hielten deren Rücken heftig zitternd vor den gähnenden Mund. War dies erledigt, sahen sie einander an, eine uralte, längst erloschene Verzweiflung im Gesicht, denn nun war neun vorbei, und über dem Eingang hatte doch tatsächlich die schwarze Glocke gewackelt! Man mußte aufstehen, man mußte

den Riegel ziehen, man mußte die Besucherinnen ein-
lassen. Der Türhüter öffnete das Portal, und der Garderobier, der ebenfalls weiße Handschuhe trug, eine grüne
Uniformjacke und die zirkusartige Mütze, stellte sich
hinter seinen Tresen, um halb im Schlaf entgegenzunehmen, was gemäß Vorschrift an der Garderobe abzugeben
war: Mäntel, Schirme, Taschen, Rucksäcke, Picknick-
körbe, Eßwaren, Wanderstöcke, kurz, alles, was die heilige Bücherwelt und den kostbaren Boden des Barocksaals zu verletzen drohte. Dann war es soweit. Die erste
Busladung hatte sämtliche Jacken und Täschchen in
Blechmünzen umgetauscht, die Damen trugen nur noch
ihre Hüte und kamen, angeführt von einer Studienrätin
mit knirschenden Gummischuhen, durch den langen
Gang auf mich zugeschritten. Pardon, daß ich an dieser
Stelle unterbreche –

5

doch bevor ich sagen kann, was meine Aufgabe war,
muß ich vom Boden reden, vom Parkett der barocken
Bücherkirche. Dieser Boden war aus Kirschbaum- und
Tannenholz zusammengefügt, erhaben wie ein Schiffs-
deck, wohlklingender als ein Geigenkasten, bref, wie der
Onkel sagen würde, ohne sich dann im mindesten um
diese Ankündigung zu kümmern, bref, also in Kürze:

Eine heilige Bühne wars, die sich in der hölzernen Ver-
kleidung der Wände, in den sanft gewellten Bücher-
schränken und rokokodünnen Wandpfeilern aufstrebend
fortsetzte, die mal hell, mal dunkel in Rippen und Aus-
zierungen hinauf- und hinauswuchs, sich aber auch um
die Gewölbespiegel und Deckengemälde schmiegte, was
dem Himmel, vom Kirschbaumholz umrankt, etwas Bo-
denständiges gab und dem Boden, übergossen von Son-
nenlicht, etwas Himmlisches.

Die Gummischuhe halten an, bleiben stehen.

Ich stelle ein Paar Überzieh-Pantoffeln vor sie hin,
und die Studienrätin, von hoch oben herablächelnd, läßt
ihre Füße hineinschlüpfen. Die nächste bitte!

Auch sie bekommt die Pantoffeln, rutscht über die
Schwelle, schlarpt ins Innere – und damit ist meine Aufgabe genannt: Ich hatte an jede Besucherin, jeden Besucher die passenden Schutzpantoffeln auszuteilen: klein,
mittel, weit. Ich durfte keinen Schuh ohne Filzumman-
telung passieren lassen, ich mußte dafür sorgen, daß man
nur mit Finken, wie bei uns die Pantoffeln heißen, über
die Schwelle, in den Barocksaal und zu den Büchern
schwebte. Die nächste bitte!

Sicher, ich trug eine hohe Verantwortung, denn der
Geigenholzboden mit seinen Intarsien galt als derart
wertvoll, daß schon die winzigste Schädigung, beispiels-
weise ein Hüflein, vom Spitzenabsatz eines Stöckelschuhs
in das hautweiche Kirschholz gedrückt, beim Onkel und

seinen Hilfsbibliothekaren ein entsetztes Aufjaulen aus-
gelöst hätte, aber vor Probleme wurde ich kaum gestellt,
unsere Besucher waren anständig, die meisten gebildet
und stießen ihre Schuhkappen folgsam in die Filzhauben hinein. Ich war, wie der Onkel sagte, der Pantoffel-
ministrant am Portal zur Bücherkirche. Ich konzentrierte
mich von neun Uhr vormittags bis sechs Uhr abends
– mit einer Stunde Mittagspause – auf Beine und Füße,
ließ sie kommen, hielt sie an – danke, mein Junge!, die
nächste bitte! –, und hatten sie die Ausstellung, wie viele
von ihnen sagten, »gemacht«, stellte ich die abgeschüttel-
ten Paare in meine sauber geordneten Reihen zurück. An
Bord der Bücherarche, sagte der Onkel, sei die Vernunft,
also die Ordnung, das oberste Prinzip.

6

Es war ein Abend im Juli. Der Onkel trug die seidene
Sommersoutane aus der Römer Exklusiv-Boutique und
die Stark ihr Alpendécor, Kordhose und kariertes Hemd.
Wie gewohnt thronte der Onkel im Prälatensessel am
Kopfende der Tafel, hatte die Serviette über die Brust
gelegt und tupfte sich, während er die Askese pries, mit
einem kölnischwasserbesprenkelten Damasttüchlein die
Stirn ab. Ich saß an der Längsseite, allerdings unten, zwei
Stühle von Monsignore entfernt, mit dem Rücken zur offe-

nen Küchentür, und spielte den neunmalklugen Schüler. Hob der Onkel seine Augenbraue, stets die linke, versuchte auch ich, von den Wellen auf seiner Denkerstirn beeindruckt, meine Braue, stets die linke, zucken zu lassen. Nunu, sagte der Onkel, diese Schwüle!

Das Fräulein aß wie üblich nebenan, und mit jedem Löffel, den sie drüben in sich hineinschlürfte, schien es im hohen Eßzimmer etwas zwielichtiger zu werden, lauter tickte die Wanduhr, und die ausgezehrten Gesichter der Fürstäbte und Stiftsbibliothekare, die mir gegenüber an der Wand hingen, zogen sich mehr und mehr in eine schwarz glänzende Firnis zurück.

Der Onkel sah auf.

In der Tür stand die Stark.

Die Pantoffeln, sagte sie, sind nichts für den Buben.

Wir ließen die Löffel sinken.

Ist ihm ein Lapsus unterlaufen?, fragte der Onkel.

Nein, meinte die Stark, er macht seine Sache gut (kurze Pause) – vielleicht ein bißchen *zu* gut!

Merken Sie nicht, was Sie für einen Blödsinn daherreden?

Nein, sagte sie.

Worum gehts?

Um sein Seelenheil. Um das, was im Katechismus steht.

Eine Weile verharrte das Fräulein in der Tür, die Arme verschränkt, die Lippen schmal, die Augen auch.

Der Onkel hob die linke Augenbraue, und ich, von ihm angeblickt, hob bedauernd die Schultern. Da packte das Fräulein mit ihren kräftigen Händen zu, schwang die Schüssel vom Tisch und trug sie, ohne den Blick von der Schüssel zu lösen, in die Küche. Die nahe Turmuhr schlug die Viertelstunde, der Abendhimmel begann zu glühen. Der Onkel und ich hielten den Atem an, beide spürten wir: Da kommt noch was! Und wirklich, schon stand sie wieder da, lächelte ihr Madonnenlächeln und sagte: Ihr Neffe, Monsignore, versündigt sich gegen das Sechste!

Wie bitte?

Unkeusche Blicke.

Der Onkel schüttelte grinsend, offensichtlich ein wenig verwirrt, das schweißglänzende Haupt. Dann faßte er sich. Er legte seine Hände auf den Tisch, links und rechts vom Suppenteller, drückte sich gegen die Rückenlehne seines thronartigen Sessels und sagte, den Blick zur Decke gerichtet: Fräulein Stark, ich erinnere mich nicht, die Klingel gedrückt zu haben.

Sie nickte. Den Buben, hab ich mir gedacht, versetzen wir zu den Hilfsbibliothekaren.

Liebe, wer ist der Chef?

Sie, antwortete sie schlau, haben die Bücher unter sich, ich muß zum Buben schauen.

Mein Neffe bleibt, wo er ist.

Im Scriptorium.

Nein, sagte er.

Doch, sagte sie.

Fräulein Stark, hic est nepos praefecti, das ist der Neffe des Chefs –

Ja, unterbrach sie ihn, eben! Ihr Neffe ist ein kleiner Katz, da müssen wir besonders aufpassen.

Das Fräulein zeigte ihr Madonnenlächeln, und der Onkel, wieder zur Decke blickend, sagte tonlos: Der Junge trägt den Namen seines Vaters.

Die Möbel waren dunkel geworden, und drüben, auf der andern Seite des Hofs, wuchs der Abendhimmel wie eine rotflammende Wand aus dem schwarzen Klosterdach. Es traf ja zu: Mama war eine geborene Katz, so hieß auch der Onkel, aber beide schienen ihren Geschlechtsnamen verloren zu haben, Mama durch Heirat, der Onkel durch sein Priestertum – Monsignore wurde er genannt. Unser Fräulein, sagte er seufzend, ist eine schlichte Variante.

7

Ich brauchte sie nicht zu fürchten, ich war der Neffe des Chefs, nepos praefecti, und der hatte ihr gezeigt, wer hier das Sagen hatte. Völlig zu Recht, schließlich lag ich pflichtgetreu in meinen perfekt ausgerichteten Pantoffelreihen, ließ sie auf ihren langen Beinen heranspazieren

und verpaßte ihnen, um unseren Geigenboden vor Krat-
zern zu bewahren, die passende Größe: klein, mittel,
weit. Dabei konzentrierte ich mich auf ihre Füße, zumal
bei heftigem Verkehr, und kam es mal vor, daß ich an
einer hochblickte, geschah dies nur, um ihren Dank mit
einem Lächeln zu quittieren, gern geschehen, die nächste
bitte!

An den Vormittagen hatten wir großen Zulauf, vor
allem in den ersten Stunden, wenn ein Bus nach dem andern seine Ladung entlud, scharrten hochtoupierte Besucherinnen in langen Schlangen dem Saal entgegen,
und ich hatte so viele Waden Fesseln Röcke um die Ohren, daß ich froh sein mußte, wenn sich keine ohne die
Filzpantoffeln an mir vorbeidrückte. Dann ließ der An-
drang nach, und im mittleren Vormittag, wenn die Zeit
zu stocken schien, hockte ich wie ein vergessener Basari
in meinen Reihen und schmökerte in den modrig riechenden Schwarten, die ich mir bei den Hilfsbibliothekaren ausleihen durfte.

Am liebsten las ich Reise- und Entdeckungsberichte,
flog auf meinen Pantoffeln um die ganze Welt, durchquerte fieberverseuchte Kontinente, erforschte Vulkane,
geriet in Taifune und verlief mich in fernöstlichen Städten mit scharf riechenden Pfeffermagazinen, dämmrigen
Opiumhöhlen und wüsten Hafenkaschemmen.

Um die Bücher zu bestellen, mußte ich ihre Nummern angeben, weshalb ich in den Flautezeiten, wenn

die Empfangsdiener schliefen, die Aufseher dösten und nur ein paar einzelne Besucherinnen über den Vitrinen hingen, in den Katalogsaal eilte, zwischen die Gestelle huschte, ein Schublädchen zog, in den Karten fingerte und à la Onkel ein: Ah!, ausstieß, ah, da haben wirs ja!

Mittlerweile kannte ich die Bibliothek mit all ihren Abläufen, mit all ihren Geräuschen, im Tabularium praefecti residierte der Onkel, im Scriptorium hatten sie ihre Karteikarten zu tippen, und nach halb elf, wenn die vormittäglichen Busladungen abgefertigt waren, drang das Schreibmaschinengeklopfe der Hilfsbibliothekare zunehmend lauter in den Flur hinaus, zunehmend lauter und mit immer längeren Pausen beschrieben sie die unbarmherzige Langeweile der zweiten Vormittagshälfte, da jede Minute länger wurde als die Minute zuvor, bis dann, kurz vor elf, das Geklapper plötzlich aussetzte und die beiden Türgreise, die tief geschlafen hatten, ihre Schädel langsam hoben. Gleich würde es zum Englischen Gruß läuten, und das Fräulein würde erst ihnen, dann dem Rest der Mannschaft den Kaffee servieren.

Die Schläge verhallten.

Die Stark, sonst überpünktlich, genau mit der Glocke zur Stelle – heute kam sie nicht. Ich zählte die Sekunden. Jetzt! dachte ich. Jetzt knallt sie die Küchentür auf und rumst den alten Servierboy mit den gegeneinanderschlagenden Tassen in den Flur hinaus.

Inzwischen hatten auch die beiden Empfangsdiener

gemerkt, daß die Kaffeezeit um gut eine Minute über-
schritten war. Sie schrumpelten ihre Lider wie Marki-
sen hoch und glotzten unter dem Vordach ihrer Zirkusmützen in den schattenlosen Gang hinaus. Das darf
doch nicht wahr sein, sagten ihre Mienen, wo bleibt der
Kaffee? Wo bleibt die Stark?

Um sieben nach elf rauschte die Spülung. Ein Hilfsbibliothekar schlüpfte aus dem Abort, kam auf langen
Beinen auf mich zugestakst, im offenen Braunkittel. Was
mochte sein Blinzeln bedeuten? Vorsichtshalber blinzelte
ich zurück. Man kann ja nie wissen. Ist sie sauer?, fragte
der Hilfsbibliothekar.

Glaub schon.

Paß auf, sagte er, mit dem Kopf auf die Bürotür des
Onkels deutend, sogar Katz hat Schiß vor der Stark.

Ich hatte die Botschaft verstanden. Weil ich das Fräulein verärgert hatte, war der Kaffee gestrichen worden.

8

Aber schon am Nachmittag war der Spuk vorbei, der
Boykott wurde aufgehoben, wieder gab es zu den ge-
wohnten Zeiten Kaffee: vormittags um elf und nachmittags um drei, kurz nach der Todesstunde des Herrn. So
ging das Leben an Bord seinen Gang, tagtäglich den gleichen, frühmorgens rollte im bodenlangen Nachthemd

rundbäuchig der Stiftsbibliothekar in meine Kammer und schmetterte sein: Salve nepos, carpe diem! Morgen, Neffe, pack dir den Tag! Dann rannten wir durch die langen, nach feuchtem Mörtel riechenden Gänge in die Kathedrale, und stemmte er, während ich ministrierend die Schelle schüttelte, seinen Kelch in die Höhe, warf sich sein Haupt derart halsbrecherisch in den Nacken, daß man Morgen für Morgen befürchten mußte, er könnte samt Kelch hintüberkippen und rückwärts vom Altar purzeln. Nach dem Segen ließ er vielarmig fuchtelnd die Orgel erschallen, und das Fräulein, züchtig mit einem Kopftuch bedeckt, trat vor die Madonnengrotte, um ihr Lächeln mit dem hölzernen Ebenbild in eine geheimnisvolle Übereinstimmung zu bringen.

Anschließend gab es das Morgenessen. Der Onkel setzte sich an sein Pult und las, erste Zigaretten paffend, die »Ostschweiz«. Gemäß G. W. F. Hegel, pflegte er zu sagen, sei die Zeitung das Frühstück des gesunden Menschenverstandes. Ich mußte meine Milch in der Küche trinken, beim Fräulein. Früher hatte sie fröhlich geplappert, hatte vom Vater erzählt und vom Winter, aber seitdem sie mich hartnäckig für einen Sünder hielt, für einen Verstößer wider das Sechste, redeten wir nur noch selten, nur das Nötigste, sie stand am Fenster, zeigte mir den Rücken, auf dem Hinterkopf einen stramm geflochtenen Knoten, circa apfelgroß, sowie ein pralles Derrière. Fräulein Stark, hätte ich gern gefragt, warum haben Sie behauptet, ich sei ein kleiner Katz? Und warum muß man da »besonders aufpassen«?

Du kommst zu spät.

Sie konnte Gedanken lesen. Ich stand auf, huschte hinaus. Bin schon unterwegs, Fräulein Stark.

Zwischen neun und zehn fuhren die Busse vor, auf ihren Gummischuhen knirschte die Hochtoupierte heran, von einer Frauenschar gefolgt, ich kniete mich in die Arbeit, schätzte ihre Größen ab, teilte ihnen die Pantoffeln zu, die nächste bitte, die nächste, die nächste. Nach zehn entstand eine kleine Pause, worauf dann, meist gegen halb elf, die Hochzeitsreisenden erschienen, frischvermählte Paare, die im Hotel Walhalla übernachtet hatten. Er: Knickerbocker, Krawatte, gestricktes Wams, stößt die Gummischuhe in ein Pantoffelpaar, und: Abrogans?, fragt er knapp.

Ich: Dritte Vitrine rechts, Herr Doktor.

Er, zu ihr: Alphabetisches Wörterbuch, um 790 verfaßt, südwestdeutsches Scriptorium. Tuotilo-Tafeln?

Ich: Gleich um die Ecke, Herr Doktor, links vom Portal.

Na, dann wollen wir mal, ruft er tatendurstig, wirft den rechten Arm nach vorn, den linken nach hinten, und schon rutscht er im flotten Langläuferstil auf den Filzsohlen davon, zu den Tuotilo-Tafeln, zum Abrogans oder schnurgerade zum langersehnten Höhepunkt seiner Liebesfahrt, zur Nibelungen-Handschrift B.

Und sie? Schön ist sie, ich ahne es, will aber vom Fräulein nicht ertappt werden und konzentriere mich voll und ganz auf meine Pflicht. Sandalen ohne Socken, kräftige Waden, rötlichblond beflaumt. Ich greife zur Pantoffel, will sie ihr überstreifen, da höre ich leis einen Seufzer.

Madame, spreche ich zum weißen Spann, unser Parkettboden ist um 1760 verlegt worden, das Tragen dieser Pantoffeln ist Vorschrift.

Vorschrift, flüstert sie, wie entsetzlich!

Elfriede, ruft er gedämpft, Elfriede!

Sie gibt erst den einen Fuß, dann den andern.

Ich stoße ihr die Töffelchen sanft über die Sandalen.

Komm schon, Elfriede, drängt der Frischvermählte, um zwölf machen sie zu!

9

Anfang Oktober sollte ich im fernen Einsiedeln in die Klosterschule einrücken, ich würde eine Kutte tragen und mit der Hilfe der Patres zu einem christlichen Jungmann werden. So war dies mein letzter Sommer, ein langer Sommer, Ferien bis Anfang Oktober, und eigentlich, läßt sich aus der Distanz der Jahre sagen, eigentlich ging es mir beim Onkel und beim Fräulein recht gut. Ich hatte ein Amt, ein Bett, Bücher und zu essen. Nach

dem Segen flog ich mit seinem Orgelspiel über die Dächer, beim Mittagessen lernte ich die ersten Brocken Latein, zum Beispiel das Wort avunculus, das Mutterbruder
heißt, und wenn wir die Nachmittagsflaute überwunden
hatten, las ich meine Schwarten und freute mich auf die
Abendschöne, eine in Tücher und Trauer verschleierte
Besucherin, die im orangenen Zwielicht des menschen-
leeren Barocksaals einsam ihre Runden drehte.

Ja, alles in allem war es eine gute, eine glückliche
Zeit. Schloff ein Füßchen in die Filzhaube, sah ich auf
den Spann, vielleicht mal auf die Fersen, äußerst selten
auf die dunkel eingewobene Hochferse eines Nylon-
strumpfs und so gut wie nie auf die scharfgezogene Naht
oder auf einen Spitzenabsatz, der sich sonderbar langsam
auf meine Filzzungen niederließ.

Natürlich hatten wir auch männlichen Zulauf, doch
hatten die meisten dieser Hosenbeine einen Krieg oder
eine lange Militärzeit hinter sich, schwenkten unaufge-
fordert auf meine Pantoffelkompanie zu, faßten die Filze,
machten rechtsum! und rutschten dann – eins-zwei! eins-
zwei! – an mir vorbei in den Saal. Sie beherrschten den
Skischritt, sie befolgten die Vorschrift, sie interessierten
mich nicht.

Das Fräulein sah, daß ich brav meine Pflicht erfüllte,
kniend wie ein Büßer, immer höflich, stets korrekt, Woche für Woche, Tag für Tag, von neun Uhr vormittags
bis sechs Uhr abends. An einem sonnigen Sonntagmor-

gen war es geschafft. Sie saß wie eine Reiterin auf ihrem Taburett, die Kaffeemühle zwischen den Schenkeln, und begann heftig zu kurbeln.

Die Turmuhr schlug neun, ich mußte zum Dienst.

Das Fräulein mahlte das Pulver noch feiner, und wie immer, wenn sie etwas tat, war sie ganz auf ihre Sache konzentriert, nur auf diese Sache, jetzt auf das heisere Mahlen der Kaffeemühle in ihrem Schoß. Als sie fertig war, sah sie auf und fragte: Hast du deine Sünden gebeichtet?

Ich senkte den Blick – und dann, ohne viel zu überlegen, nickte ich stumm. Ich hatte ihre Attacke überstanden, der kleine Krieg war vorbei.

10

Wirklich? Ich will mich nicht klüger machen, als ich damals war, und die heilige Wiborada, die Patronin aller Bibliotheken und Bibliothekare, aller Bücher und Schreiber, bewahre mich davor, wie mein Onkel zu übertreiben, aber ich meine mich zu erinnern, daß ich dem neuen Frieden nie ganz getraut habe. Sicher, das Fräulein behandelte mich freundlich, lieb wie eine Mutter, immer besorgt, lächelnd besorgt, schon am Morgen, wenn ich bei ihr in der Küche saß, rüstete sie Gemüse oder entschuppte einen armlangen Bodenseefisch. Sie ist guter Laune, bemerkte der Onkel, Nepos, il faut profiter de l'occasion!

Der August kam näher, die beste Zeit des Jahres, bis zehn hatten wir unsere Frauengruppen, jeweils angeführt von der Hochtoupierten, zwischen zehn und elf die Hochzeitspaare, um elf gibt es Kaffee, um zwölf das Mittagessen, um drei die große Flaute, die Köpfe der Türgreise sinken nach vorn, das Gesicht wird zum Mützendach mit der matt glänzenden Schädelbeule, und wie am Vormittag, wenn jede Stunde etwa zehnmal länger dauert als die Stunde zuvor, wird es heißer und wird es heller und schließlich so staubig trocken, daß der Fluß der Zeit zwischen den Ziegeln im leeren Gang vollständig versickert. Die Sonne auf dem glatt geschliffenen Bibliotheksdeck ist vor Jahr und Tag ausgegossen, dann für immer vergessen worden. Sie bleibt einfach liegen. Wie die Glanzfolie über den Vitrinen, wie die Lichtreflexe auf den Bücherrücken. Die glasigen Blicke, die aus allen Augen heraushängen, wachsen in die Vitrinen hinein, in die Sonnenteiche, zur Decke hinauf. Eine große, alles verschlingende Leere. Nachmittag. Der tägliche Karfreitag, wie der Onkel sagt, in seiner heitersten Gestalt. Warten auf den Kaffee, Warten auf das Fräulein, das lieb mütterliche, das sorgende, das lächelnde, das neuerdings immer so freundliche, ah, da ist sie ja, schon scheppert ihr Wagen heran, ich empfange die Tasse, wie immer gut gezuckert, danke, hauche ich, vielen Dank.

Ja, sie behandelte mich freundlich. Wie immer. Heute sogar besonders freundlich. Sie hatte eine neue Kaffee-sorte besorgt und schenkte sie zum ersten Mal aus. Die Herren Hilfsbibliothekare, verschnapst wie sie seien, hät-ten nichts bemerkt, meinte das Fräulein.

Was nicht bemerkt?

Daß es eine Spezialmischung ist!

Ich trank die Spezialmischung.

Gelt, sagte sie, und durch die Madonnenmaske blitz-ten plötzlich ihre Äuglein, du kannst die Spezialmi-schung riechen – du mit deiner *Nase!*

Freundliche Worte, gewiß, fast ein Lob, aber es war nicht zu übersehen, daß ihre Freundlichkeit eine Maske war, und es war nicht zu überhören, daß in ihrem Ton etwas Warnendes lag, fast eine Verwünschung. Das Fräu-lein sprach von meiner Nase, wie sie seinerzeit von den Blicken gesprochen hatte, den sündigen, die gegen das Sechste verstoßen hätten. Für sie war ich eben doch ein kleiner Katz – bei so einem mußte man »besonders auf-passen«.

11

Am letzten Samstag im Juli, das Datum stimmt, ich habe im Gästebuch nachgesehen, hatten wir großen An-drang, allein der Vormittag brachte Bus um Bus, zuerst zwei Frauenchöre aus Schwaben, dann den Mütterverein Passau, christliche Gewerkschafterinnen aus Gelsenkirchen, den Lesezirkel Hottingen, Nonnen aus St. Maria am Berg, den Pfarreiausflug Ravensburg »mit Gebetsführerin Dr. Hilbig«, den Kirchenchor Schopfloch, Wanderfreunde aus Karlsruhe und andere mehr. Da jeder Verein, wie mir inzwischen aufgefallen war, eine ähnliche Figur an seine Spitze setzt, nämlich eine Resolute mit hochtoupiertem Haar, kam es mir vor, als würde dieselbe Person immer wieder gegen mich und mein Pantoffellager anrennen. Natürlich war es nicht dieselbe, sondern mit jeder Gruppe eine andere, da aber jede dieser Resoluten in der gleichen Funktion, in der gleichen Haltung, mit den gleichen Gesten und Schritten und Gummischuhen durch den langen Flur dahergeknirscht kam, streng der Blick, steif der Rücken, die Frisur ein Turm, die Bluse weiß, Krausen an den Ärmeln, Krausen am Hals, Krausen am Busen, glockig und grün der Faltenrock, die Waden kräftig, die Nylons dunkelbraun, war ich überzeugt, mehrmals am Tag ein- und dieselbe Gruppenführerin mit einem Paar Schutzpantoffeln ausrüsten zu müssen. Die nächste bitte!

Wieder dieselbe? Nein, nicht ganz. Heute *rochen* sie, und jede Hochtoupierte roch anders als ihre Vorgängerin, bref, wie der Onkel sagen würde, ohne sich dann im mindesten daran zu halten: Die vielfältige Person, die in allen Varianten stets die gleichen Gummischuhe und die gleichen braunen Nylons trug, brachte an diesem schwüldumpfen Morgen verschiedene Gerüche mit. Die Hochtoupierte aus Passau ließ mich merken, daß sie die Nacht im Plastiksessel eines Busses verbracht hatte, und die aus Kellmünz an der Iller, daß sie sich soeben mit Eau de Cologne überschüttet haben mußte. Die winter‑lich vermummten Nonnen aus St. Maria am Berg zogen in einer milchdampfigen Wolke daher, und die Gebets‑führerin Frau Dr. Hilbig schien sich auf der Herfahrt in einen säuerlich riechenden Schweiß gebetet zu haben. Unter den Achseln hatte sie graunasse Flecken, groß wie Elephantenohren. Hatte sie also doch recht, die Stark? War meine Nase – anders?

Kurz vor zwölf: lackierte Zehennägel einer Italienerin riechen nach Vanille.

Halb zwei: ein Nylonfuß streift den Schuh ab, und zum ersten Mal erlebe ich das Wunder eines aufblü‑henden Geruchs, diesen Frauenfußduft, eine Spezialmi‑schung aus frischem Schweiß, Flieder und Leder. Darf ich bitten?

Ich halte ihr die Pantoffeln hin, die schwarze Naht schlüpft in den Schuh zurück, der Schuh in die Filz‑haube, die Filzhaube über die Schwelle, mit schleifenden Schritten, wiegenden Hüften verschwindet die Schöne im Saal. Die nächste bitte!

Gegen drei Uhr nachmittags dreht sich die Bücher‑arche mit einem leisen Knarren ins Abendlicht, und un‑

mittelbar danach beginnt die schlimmste Flaute, die wir je erlebt haben. Ich glotze in mein Buch, versuche zu lesen, doch gleite ich auf verschwimmenden Buchstaben immer wieder ins Träumen hinüber, in ein müdes, trauriges Brüten. Dahocken. Dösen. Dämmern. Aber dann, nach dem Kaffee, wurde es an Bord wieder lebendig, die Zirkusmützen erwachten, im Scriptorium tippten sie weiter, und im Büchersaal, der jetzt scharfe, wie aus Nacht geschnitzte Schatten warf, beugten sich die Besucherinnen über die Glasvitrinen mit den Urkunden aus dem karolingischen 9. Jahrhundert.

Um 16 Uhr 15 ein letzter Bus, eine auffällig schwatzhafte Schar von Lehrerinnen aus Villingen-Schwenningen. In der Bibliothek hatten wir vom Gewitter nichts gemerkt, die schwatzhaften Lehrerinnen jedoch mußte es voll erwischt haben, feucht waren ihre Socken, feucht ihre Strümpfe, naß die Sohlen, und wie reizend, wie wunderbar roch dieser Wald aus lauter Beinen nach nasser Wolle, nassen Fellen! Da wußte ich: Die Stark hatte recht. Ich hatte eine Nase, und diese Nase wollte riechen, riechen! Aber ging es nicht allen so?

12

Der Stiftsbibliothekar hob die beringte Rechte, zeigte zur Decke, wohl auf Gott, und sagte mit jubelnder Stimme:

Meine sehr verehrten Damen, liebe Besucherinnen aus dem schönen Villingen-Schwenningen, im Anfang war das Wort, dann kam die Bibliothek, und erst danach, also an dritter und letzter Stelle, kommen wir, wir Menschen und die Dinge. Nomina ante res – die Wörter zuerst!

Nomina ante res, zwitscherten die Lehrerinnen, die Wörter zuerst!

Der Onkel gebot Silentium, dann forderte er die Damen auf, ins Innere einzutreten. Mir nach!, befahl die Hochtoupierte, wieder brach ein wildes Gezwitscher aus, ein Flüstern und Kichern, wie Kompaßnadeln zuckten sämtliche Filze Richtung Portal und schliffen dann, einander auf die Filzlappen tretend, über die Schwelle. Alle? Nein. Eine in Strümpfen, eine schwarze Königin unter lauter Kniesocken, wurde vom Onkel zurückgehalten. Übrigens, sagte er, hic est nepos praefecti, das ist der Neffe des Chefs.

Der da?, fragte sie und sah über ihre spitzen Brüste auf mich herab.

Der Stiftsbibliothekar legte seine seidenumhüllte Hand auf ihren Unterarm und sagte: Madame, dürfte ich Sie bitten, Ihren Blick noch einmal nach oben zu richten, auf die Inschrift im Portalbogen?

Hebräisch?

Griechisch, hörte ich den Onkel erklären, Diodorus Siculus will diese Inschrift an einer Tempelkirche in Ägypten gelesen haben, und zwar an einer Bibliothek, deren Gründung auf König Ramses II. zurückgehen soll, also in das dreizehnte Jahrhundert ante Christum natum...

Schwarze, feinmaschige Seidenstrümpfe. Die Hoch-ferse keilförmig eingewoben, die Waden kräftig und die Luft schwer, feucht, fast dunstig, Regenwaldluft, Ge-witterluft, die gewaltige Ausdünstung einer Riesin.

Die Inschrift, hörte ich den Onkel weiterreden, aber immer leiser, als würde er sich in einem Luftballon über Kloster und Stadt entfernen, heiße Psychesiatreion, das sei griechisch und bedeute Heilstätte für den Geist: See-len-Apotheke...

Seelen-Apotheke, ich kannte das Wort, kannte den Spruch, manchmal hörte ich ihn zehnmal am Tag, ja, Madame, würde er nun sagen, wir führen alle Leiden und alle Mittelchen dagegen, worauf sie lächeln würde, vermutlich ein trauriges Lächeln, ein Leiden hatte auch sie, ein Leiden hatte jede, mal wars die Liebe, mal die Schwermut, mal ein Mann, mein Gott, Monsignore, können Sie mir wirklich helfen?

Und statt einer Antwort glitt der ehrwürdige Stiftsbi-bliothekar in seinen Spezialpantoffeln über die Schwelle, von der Auserwählten jeweils gefolgt, aber heute lief es anders ab, heute war alles anders, um ihre Füße wucher-ten Geruchsblüten, es rochen die nassen Strümpfe, es ro-chen die feuchten Röcke, und die Frau, der sich der On-kel speziell gewidmet hatte, wollte nicht mit ihm über die Schwelle gleiten, die hochhackigen Absätze blieben stehen, bohrten sich in die Filzzungen meiner Pantoffeln, sie bewegte sich nicht, noch nicht, offenbar staunte sie nach wie vor diese aus urältester Zeit stammende Inschrift an. Es war stärker als ich, ein lautloser Sturm, das Herz klopfte, raste jetzt, die Nase roch, und die Augen, ob ich wollte oder nicht, kletterten hinauf in den zwielichtigen, taubenzartgrauen Abgrund ihrer Stoffglocke.

13

Vom Geschlecht der Katzen hatte ich damals keine Ahnung. Gewiß, so hatte früher die Mutter geheißen, aber zu Hause wurde dieser Name nicht ausgesprochen, er blieb, wie gewisse Vorgänge im Schlafzimmer der Eltern, ins Französische verbannt. Meiner Schwester und mir kam es nicht in den Sinn, dahinter ein allzu bedeutendes Geheimnis zu vermuten. Warum auch, totgeschwiegen wurde der Großvater nicht, wenn wir heftig bettelten, erzählte Mama von ihrer Kindheit, vom sonnenbewohnten Nußbaum und von den Badekabinen, meist mit einem Lächeln, euer Großvater, sagte sie, ist ein lieber, alter Mann. Wird er uns besuchen?

Vielleicht, sagte Mama.

Wir wußten natürlich, das sagte sie immer, ahnten

auch, wie es gemeint war, nie würde er kommen, und nie würden wir mit unserem Ford Taunus 17 M zum fernen Weiher fahren, niemand vermißte den Alten, und der Vater, Hauptmann im Generalstab, war eher an der Überquerung von Pässen interessiert – die ging er mit militärischen Zeitplänen an und bezwang sie erfolgreich.

Ich hatte keine Ahnung, ich machte mir keine Gedanken, und erst in der Bibliothek kam ich an einem schwülheißen Sommerabend auf die Idee, bei nächster Gelegenheit jenes Schublädchen aufzuziehen, das den Namen enthalten mußte. Eine Seelen-Apotheke führe alles, hatte der Onkel gesagt, jede Krankheit und jedes Mittelchen dagegen, von Aristoteles bis Zyste. Wirklich alles? Ganz so einfach war es nicht, doch kam ich nun mehr und mehr davon ab, im Katalogsaal nach fernen Ländern zu suchen, nach Forschern und Entdeckungsfahrten, und dabei auf Photographien oder Gravuren zu stoßen, die barbusige Urwaldfrauen zeigten, aber zu den Schublädchen ging ich nach wie vor, befeuchtete meinen Finger, raschelte in den Karten, und schon bald begann es mir zu dämmern, daß es ganz nah eine Welt geben mußte, die mir fremder war als die Lagunen in den fernöstlichen Gewässern.

Inzwischen hatte die Bücherarche den August erreicht und lag fast jeden Nachmittag in einer Flaute fest. Nach dem Mittagessen versiegte der Besucherstrom, das Fräulein zog sich in die Küche zurück, die Mannschaft schlief. Gut so! Ich wußte ja, wie man Bücher bestellte, und die Karten, die ich immer besser zu deuten verstand, brachten mich mit ihren Verweisen von selbst auf die richtigen Fährten. In einem hinteren Teil des Katalogsaals standen die Sammelbände mit alten Zeitungen, und es machte mir einen Riesenspaß, auf hohe Leitern zu klettern und die schweren Bände aus den Regalen zu ziehen. Ich wollte mich über die Kriegszeit informieren, und vor allem wollte ich erfahren, woher dieser Geschlechtsname kam, den niemand mochte. Mama hatte ihn abgestreift, der Onkel verbarg ihn unter seiner Soutane, und das Fräulein, gottesfürchtig wie sie war, schien ihn wie einen Fluch zu empfinden – ich sei ein kleiner Katz, hatte sie gesagt, da müsse man »besonders aufpassen«. Als ich eines Nachmittags eine dieser Mordsschwarten an ihren Platz zurückstieß, lauerte am Fuß der Leiter ein Schatten: der Onkel. Er hatte ein Buch in der Hand und sagte, ohne aufzusehen, als würde er den Satz ablesen: Suchst du etwas Bestimmtes, Nepos?

Der Onkel las noch ein paar Sätze, dann legte er einen gelben Papierstreifen zwischen die Seiten, klemmte das Buch unter den Arm und raschelte mit wehender Soutane davon. Wußte er, wonach ich suchte?

Die Hilfsbibliothekare, die mir die Bücher ausliehen, trugen dickglasige, rundgerillte Brillen, graue Ärmel-schoner und hatten am Hosenboden ein eingenähtes Herz, das Sitzleder. Jeder saß vor einer schwarzen Re-mington und füllte mit zwei nikotingefärbten Krumm-fingern, die wie die Krallen eines Raubvogels über der Tastatur schwebten, jahraus jahrein Katalogkarten aus, eine Karte nach der andern, denn jeder Stiftsbibliothe-kar, auch mein Onkel, pflegte mit seinem Amtsantritt ein eigenes System einzuführen, ein System, welches das System seines Vorgängers allmählich ersetzen sollte, das Dumme war nur, daß noch kein System das Ganze, oder zumindest einen Teil des Ganzen, erfaßt hatte, eher im Gegenteil, je länger die Bibliothek bestand, desto kom-plizierter wurden die Systeme, desto zahlreicher die Bü-cher, so daß mit jedem Jahr, ja mit jedem Monat an dem unendlich sich verzweigenden Bücherbaum neue, jedoch bereits überfüllte Gestelle ausschlugen, über den Barock-saal ins Unendliche weiterwuchernd, unter das Dach hinauf, in die Keller hinab, Bücher Bücher Bücher, Abertausende von Titeln, niemals zu bewältigen, nie-mals zu katalogisieren, weshalb ein Vorgänger des On-kels, vermutlich eine dieser hageren, geierhalsigen Va-rianten, die im Eßzimmer hingen, eine Sentenz von Augustinus unter die Normaluhr an die Wand gepinnt hatte, selbstverständlich in Latein: »Und sollte dich der letzte Tag nicht als Sieger finden, finde er dich wenigstens als einen, der gekämpft hat.«

Anders als Mama, die ihre Finger wie ein Ballett aus roten Lackschühlein über die Tasten ihrer Schreibmaschine tanzen ließ, klopften die Trübsaltrommler im Höchstfall ein Dutzend Buchstaben auf ihre Karteikarten, und fast nie erklang das lustige Klingelzeichen, das herrliche Pling!, das das Ende einer Zeile meldet. Über ihren Maschinen wurden sie alt und krumm. Oft dösten sie. Keine Sieger. Nicht einmal Kämpfer. Der letzte Tag fände sie als Leichen, ausgezehrt von der totalen Sinnlosigkeit ihrer Tipperei. Allerdings hatten sie auch eine andere Seite, diese Herren! Kaum war der Onkel aus dem Haus, bissen sie von ihren Schnapsflaschen die Korken ab und soffen den Klaren wie das Braunvieh Wasser. Und noch eine Eigenart hatten sie, doch war mir diese erst jetzt, da ich mich für den verwunschenen Geschlechtsnamen interessierte, aufgefallen. Die Hilfsbibliothekare haben das unausgesprochene Verbot immer wieder verletzt. Katz, flüsterten sie, hat Schiß vor der Stark, Katz ist verkatert, Katz hier und Katz da, doch wagten sie das nur, wenn sie den Stiftsbibliothekar in einer sicheren Entfernung wußten, hielten sogar dann die Hand vor den Mund und haben das Wort kaum ausgesprochen, eher gehaucht: Katz.

Katz! Es ging mir mit diesem Geschlecht wie mit

dem Dunkel unter den Röcken – fremd war es und voller Reize.

Sicher, bei den ganz Dicken und den ganz Dünnen gab es hin und wieder ein kleines Problem, ei guck, dieses Ferkel, hatte eine gerufen, eine andere, die Knie zusammenpressend, war x-beinig zurückgewichen, aber das waren Ausnahmen, kaum der Rede wert, wer eine Stiftsbibliothek besucht, hat in der Regel eine bürgerliche Erziehung hinter sich und weiß, was sich gehört. Zudem waren die meisten aus grauen, im Krieg zerbombten Städten angereist, aus Ulm, Darmstadt oder Friedrichshafen, und erschauerten in staunender Ehrfurcht vor der unerwartet grandiosen Bilder- und Bücherpracht, die sich wie eine stumme Brandung vor ihnen aufwarf. Merkten sie nichts? Oh, sie merkten es schon, jedenfalls die Schöneren unter ihnen, aber im Angesicht des Bücherhimmels, der ihnen mit sanfter Gewalt die Lippen öffnete, waren sie gnädig bereit, nicht nur die klumpigen Pantoffeln zu akzeptieren, sondern auch den Ministranten, der zu ihren Füßen seines Amtes waltete. Danke, mein Junge.

Die nächste bitte!

War ich verzeigt worden? Vermutlich ja, denn unmittelbar nach einem unbedeutenden Zwischenfall, der hauptsächlich aus dem Gezeter einer Wuchtbrumme bestanden hatte, waren die schönen Tage von Aranjuez, wie der Onkel gesagt haben würde, vorbei. Aus dem Fräulein, die wie eine Heilige in ihrer Derrièrewolke saß, war zum zweiten Mal die Stark geworden, vor der die ganze Bücherarche in Ehrfurcht erstarrte. Kann ich Sie einen Augenblick sprechen, Monsignore?

Worum gehts?

Um den Buben.

Schon wieder!, stöhnte er. Was hat er diesmal angestellt?

Aber das Fräulein ließ sich Zeit. Hat es den Herren nicht geschmeckt, fragte sie scheinheilig, war der Braten zu fett?

Pulcher et speciosus, lobte der Onkel, schön und herrlich. In medias, zur Sache!

Sie nahm die Terrine vom Tisch, und es dauerte lange, quälend lange, bis sie es endlich schaffte, ihren Satz herauszubringen: Monsignore, es hat eine Reklamation gegeben.

Er hob die linke Braue, ich auch.

Eine Reklamation?, fragte der Onkel.

Von einer Wagner-Sängerin aus Linz, Fräulein von Zedlitz, Sandgasse 6, sagte die Stark, und da ihre appenzellischen Jagdäuglein nach wie vor auf die Bratenterrine gerichtet waren, hätte man meinen können, sie brauche

nur den Deckel zu heben, um die Anklägerin als fette
Fleischdampfwolke herauszulassen. Über den Buben hat
sie sich beschwert, und zwar in deutlichen Worten! Er
habe –

doch das konnte sie nicht laut sagen, das mußte sie
Monsignore ins Ohr züngeln, wobei sie die Terrine, um
diese nicht gegen seine Schulter zu stoßen, seitlich von
sich wegstreckte.

Er hörte reglos zu. Dann tupfte er mit der Damast-
serviette das hektisch beflüsterte Ohr ab und sagte: Mein
lieber Nepos, wir sind eine Stiftsbibliothek und dürfen
voller Stolz behaupten, daß wir die prächtigsten Schätze
des Morgen- und Abendlandes an Bord haben, unter anderem auch die hochinteressanten Überlegungen des
Philosophen Kant über die Sittlichkeit, deren Kriterium
ja nicht, wie man erwarten würde, im Erfolg des Han-
delns besteht, vielmehr in der Beschaffenheit der Gesin-
nung, also im Willen selbst, was heißt, daß ein Mensch,
insbesondere ein junger Mensch, strebend bemüht sein
soll, seine Neigungen hintanzustellen...

So oder ähnlich ging es noch eine Weile weiter, von
Kant kam er auf Augustinus, von Augustinus auf
Afrika, von Afrika auf Ägypten und damit auf die In-
schrift des Diodorus Siculus: Psychesiatreion.

Seelen-Apotheke, übersetzte ich.

Recte dicis.

Das bedeutet, fuhr ich fort, wir führen alle Leiden

und jedes Mittelchen dagegen, von Aristoteles bis Zyste. Nomina ante res, die Wörter zuerst!

Sehen Sie, Fräulein Stark? Ecce nepos, er schlägt ganz nach mir.

Über seine gelehrten Ausführungen hochzufrieden, steckte er die gerollte Serviette in den Silberring und ging dann, wie jeden Abend, in sein Studierzimmer hinüber. Ich nickte dem Fräulein zu und folgte dem Onkel.

16

Hier, im sogenannten Studierzimmer, das er sich als bunte Plüschhöhle eingerichtet hatte, fühlte er sich am wohlsten. Hier empfing der Stiftsbibliothekar die Gelehrten aus aller Welt, hier verbrachte er die Abende, hier oblag er, wie er sagte, seiner eigentlichen Tätigkeit, dem Lesen. Unter den Ikonen flackerten Tag und Nacht die vielen Flämmchen, an den Wänden hingen Teppiche, die Fenster blieben verhängt, und da das rötlichgoldene Zwielicht von heißem Wachs, Weihrauch, Parfüm und Rasierwasser süß und schwer gesättigt war, hätte man meinen können, der dicke, die Schritte schluckende Perser sei ein fliegender Teppich, der uns im Hui in den Orient versetzt habe. Vom Fräulein war nichts mehr zu sehen. Drüben in der Küche erstarrten die Geräusche. Ad lectionem, sagte der Onkel.

Er hatte sich wie ein fetter Scheich auf den Diwan gebettet, ich lag in einem Lehnstuhl, nun schloffen wir beide in die Seidenhandschuhe und öffneten unsere Bücher. Er beschäftigte sich seit einiger Zeit mit einem Wüstenvater, der nur von Skorpionen und der Liebe Gottes lebte und mehr und mehr dem Wahnsinn verfiel. Aber im Wahnsinn war der Wüstenvater zur Gewißheit gelangt, er habe mitten im Sandozean einen Palast vor sich, von hohen Mauern umschlossen, voller Blüten und Blumen, sanft plätschert der Brunnen, lau rieseln die Winde, und wenn die Sonne hinter dem Horizont verglüht sein würde, stünden über den Mauerzinnen des geheimnisvollen Gartens die Palmen wie schwarze Sensenbündel in die Nacht hinaus. Hörst du mir überhaupt zu?

Selbstverständlich, Onkel. Das ist eine Fata Morgana.

Richtig, bemerkte er, das ist eine Fata Morgana. Der arme Wüstenvater betritt ein himmlisches Jerusalem, das sein wahnkrankes Hirn in den Sandozean hinausgewundert hat. Gestattest du, daß ich ihn begleite?

Ja, Onkel, natürlich.

Er zückte die tellergroße Lupe, schob die Brille in die Stirn, tauchte ab.

Ich hatte ein Buch in den Händen, auf das ich seit Tagen gewartet hatte, aber über den Titel – Aufstieg und Rückgang der Schweizer Textilindustrie – kam ich nicht hinaus. Ich lauschte in die Stille. Ich fürchtete mich vor dem Fräulein. Der Onkel hatte sie abgeschmettert, aber

ich wußte: Sie nahm mein Seelenheil, genauer: den Katechismus, zu ernst, um mir den Blick unter das Linzer
Fleischgebirge verzeihen zu können. Da kommt noch
was, dachte ich.

Es kam tatsächlich, schon am andern Morgen, beim
Frühstück.

Klick, machte sie, klickidi-klick!

Sie strickte!

Ja, sie strickte, die Stark, Socken strickte sie, schwarz-
wollene Kniesocken, wie ich sie für die Klosterschule
brauchen würde, passend zur Kutte, und ich hätte ein
Stein sein müssen, um nicht zu verstehen, was diese
Strickerei zu bedeuten hatte: Mach dich auf die Socken,
sagten ihre Nadeln, hau ab, du sündiger Pantoffel, geh in
deine Klosterschule, dort werden sie dir die Flausen
schon austreiben!

Klick, klickidi-klick!

Strickend machte sie ihre Rundgänge, strickend stand
sie als Aufseherin der Aufseher im Saal, und am nächsten Abend, als wir wieder in der Plüschhöhle lagen, saß
neben dem Samowar das Fräulein und konzentrierte sich
auf ihre Handarbeit, als gebe es im gesamten Weltraum
nur diese Nadeln, diese Finger, diese schwarze, über die
Nadelspitze schlüpfende Schlaufe, klickidi-klick, klik-
kidi-klick, klickidi-klick zerklickte sie mit dicken Woll-
nadeln die Stille, und wiewohl ich nicht, wie der arme
Wüstenvater, zum Wahnsinn neige, hatte ich schließlich

doch das Gefühl, von ihren Nadelstichen verletzt zu werden. Warum ließ der Onkel das geschehen? Warum warf er sie nicht hinaus? Der Grund lag auf der Hand. Die Hilfsbibliothekare hatten recht – sogar Katz, der ehrwürdige Kapitän der Bücherarche, hatte Schiß vor der Stark.

Am andern Morgen strickte sie weiter, klickidi-klick, klickidi-klick, klickidi-klick, und jedesmal, wenn sie ein Paar dieser verdammten Kniestrümpfe fertig hatte, wurden sie in einem Koffer, den sie in meiner Kammer aufgeklappt hatte, verstaut. Die Kofferlade wurde schwarz und schwärzer. Die Klosterschule kam nah und näher. Auf leisen Socken, hätte der Onkel wohl gesagt, schlich sich die Zukunft in meine Kammer, klickidi-klick, klickidi-klick, klickidi-klick ...

17

Das giftige Genadel mußte auch den Onkel nerven. Aber er sagte nicht: Liebe, lassen Sie das – dazu war er zu feig oder die Stark zu stark. Er ließ sie stricken, und sie, die niedere Stirn in Falten gelegt, betrieb mit spitzen Nadeln meine Bestrafung. Eines Abends fragte er, ob ich mich an seine Adnoten zu Kant erinnere, ich nickte, schließlich hatte ich inzwischen nachgeschaut und festgestellt, daß Immanuel Kant, der Vernunftphilosoph aus

Königsberg, im Katalogsaal ganze Kommoden füllte. Bescheiden nannte ich ein paar Stichworte: Vernunft, Vernunftphilosophie, Moral, Sitte, Subjekt.

Der Onkel hob anerkennend sein Glas. Dann meinte er, sich selber, nämlich sein eigenes, das eigene empiri- sche Subjekt, habe Kant niemals zu berühren gewagt, nicht einmal beim An- oder Ausziehen, das habe er Lampe überlassen, seinem Diener – der mußte ihn mor- gens einkleiden, abends ausziehen, wie eine Mutter ihr Kind, von den Kniestrümpfen bis zur Perücke. Aber noch rigoroser als die Sittlichkeit, fuhr der Onkel fort, habe der Vernunftphilosoph die *Pünktlichkeit* betrieben, davon sei er förmlich besessen gewesen, was schließlich dazu geführt habe, daß ausgerechnet Kant, die verstaub- teste aller Geistesperücken des gesamten Bestandes, den (sehr leise:) Strumpfgürtel erfunden habe. Ob ich wüßte, was das sei?

Ja, hätte ich beinah gesagt, von Mama, aber ich hielt es für klüger, höchstens die Braue ein wenig zu heben, natürlich die linke, man wußte ja nie, wann die Stark mit ihrem Strickzeug in die Höhle huschte, um klickend weiterzustricken.

Immanuel Kant, habe ich an diesem Abend vom On- kel erfahren, machte tagtäglich einen Spaziergang, tag- täglich den gleichen, stets im gleichen Tempo, stets zur gleichen Zeit, so daß halb Königsberg nach dem pünkt- lich vorbeispazierenden Vernunftphilosophen seine Uhr zu richten pflegte. Passierte er den Markt, war es Viertel nach drei, bog er in die Lutherstraße ein, war es sieben Minuten vor halb vier, keine Sekunde später, keine früher. Einige Jahre ging alles gut – kam Kant um die Ecke, zückten die Königsberger ihre Taschenuhr und brachten die Zeiger auf den richtigen Stand. Aber sei es, daß die Kniestrümpfe vom vielen Waschen lascher geworden waren, sei es, daß Lampe, der ihn einkleidende Diener, in seinem Diensteifer nachgelassen hatte – eines Tages begannen die Strümpfe zu rutschen, nach unten rutschten sie, und wollte der Vernunftphilosoph verhindern, ausgerechnet von den eigenen Kniestrümpfen bloßgestellt zu werden, mußte er alle paar Schritte anhalten, mußte sich bücken und die Kniestrümpfe bis zu den Hosenbeinbünden hochziehen. Die Folge? In ganz Königsberg geriet die Zeit durcheinander, und sogar die Kirchen, deren Geläute auf den Gang des Philosophen abgestimmt war, bimmelten in verwirrten Abständen hintereinanderher. Aber Kant war Philosoph, Vernunftphilosoph, er dachte nach, und schließlich hat er das Problem gelöst. Ein Hüftgürtel mit Bändeln sollte ihm die Kniestrümpfe festhalten. Gedacht, getan. Was der Philosoph ertüftelt hatte, führte sein Diener aus, und siehe da: Es war ein Volltreffer. Das Ding erfüllte seinen Zweck. Fortan mußte Lampe jeden Morgen das feinseidige Gürtelchen um die Kantschen Hüften legen und die Kniestrümpfe an dessen Bändeln festschnallen. Alle waren zufrieden.

Lampe, eine eher schlichte Variante, durfte sich für seine Nähkunst loben, der Vernunftphilosoph kam störungsfrei über die Runden, und in ganz Königsberg hat die Zeit wieder gestimmt.

So weit, so gut. Aber was sollte ich aus dieser Adnote lernen? Neigungen hintanstellen, pflichtgemäßes Pantoffelverteilen à la Kant? Oder hatte mich der Onkel zu trösten versucht? Wollte er mir sagen, sogar Kant, der kommodenfüllende Vernunftphilosoph, habe sich mit Kniestrumpfproblemen herumschlagen müssen? Ratlos schlich ich in meine Kammer. Ich hatte die Liebe des Fräuleins zum zweiten Mal verloren, und wollte ich sie zurückgewinnen, mußte ich einen Weg einschlagen, den sie mir selber nahegelegt hatte: Ich mußte meine Sünden bekennen, vor Gott und dem Priester. Doch wollte ich diesmal nicht nur *behaupten*, ich hätte gebeichtet, ich wollte es tatsächlich *tun*, mit allem, was dazugehört, Gewissenserforschung, Segen, Strafe. Es wurde höchste Zeit. Ich hielt das Klicken nicht mehr aus –

18

eilte in die Kathedrale, stürzte mich in die Bank, und diesmal, ich wiederhole es, war ich wirklich entschlossen, alle Sünden zu gestehen: den Blick unter die Linzerin, die kleinen Lügen, das Heimweh und sogar meinen

Zweifel an den Plänen Gottes und meiner Eltern. Aber so intensiv ich mich über den Beichtspiegel beugte – der Spiegel blieb leer. Ich erkannte mich nicht. War es denn eine Sünde, den Wohlgeruch der Frauen einzuatmen? War es eine Sünde, hie und da einen scheuen Blick unter ihre Röcke zu riskieren?

Und was bittesehr sollte ich bekennen, etwa eine »unkeusche Handlung«? War Riechen eine *Handlung?* Wer atmet, riecht, eine Sünde war das nicht, weder schwer noch läßlich. »Unkeusche Gedanken«? Schon eher, ja, aber war es unkeusch, von der taubenzartgrauen Dämmerung unter ihren Stoffglocken angelockt zu werden, war es unkeusch, im leisen Knistern der Strümpfe ein liebliches Flüstern zu vernehmen?

Die Abendsonne stieß ihre Lichtspanten durch das bläulich dämmernde Kirchenschiff. Es roch süßlich nach verblühten Blumen und Weihrauch und säuerlich nach dem Essigschweiß armer, vor der Madonnengrotte schluchzender Menschen. Hie und da ging knarrend das Portal auf, man hörte von draußen ein Lachen flattern, das Vorbeiknattern eines Autos, das Tor fiel dumpf donnernd zu, wieder war es still. Vor dem Beichtstuhl drängten sich ein paar alte, fromme Krähen. Die hatten es gut! Wußten, woran sie waren. Üble Nachrede, Mißgunst, Neid, Geiz, Gift – ihre Sünden waren im Katechismus ordentlich vermerkt, konnten kurz gestanden und bündig abgehakt werden. Eine nach der andern stopfte sich ins Gehäuse, wurde absolviert, hopste davon. Wieder wäre die Reihe an mir gewesen. Aber was sollte ich sagen? Sollte ich sagen: Ehrwürdiger Vater, seit einiger Zeit habe ich eine Nase und bin dadurch in die Lage versetzt, den Duft der Frauen zu riechen? Oder sollte ich mit meinem Posten beginnen und dem Beichtpriester gestehen, neuerdings müßte ich mit der Gewißheit leben, daß ich dicke Derrières möge, schön pralle Hintern, die die Röcke zu Zelten auseinanderfalten? Wäre dies der Weg zur Absolution: Ehrwürdiger Vater, wie ich jetzt vor Ihnen knie, knie ich tagsüber vor dem Portal der weltberühmten Stiftsbibliothek, versehe die Frauenfüße mit Pantoffeln, verdrehe hie und da die Augen, schiele unter die Röcke, und glauben Sie mir, ich wäre Ihnen von Herzen dankbar, wenn Sie mir endlich erklären könnten, was mich da anzieht, was mich lockt, was mich treibt!?

Nein. Hier war ich an der falschen Adresse, eben hatte die Turmuhr geschlagen, Viertel nach fünf, wenn ich rannte, konnte ich die Abendschöne noch erwischen, war schon unterwegs, hetzte treppauf, hechelnd durch die Gänge, riß an der Glocke, vorbei am Türgreis, durch den Flur, zum Portal, auf meinen Platz, gerade noch rechtzeitig, da kommt sie schon, flattert leichtfüßig heran, wird größer und schöner, und heute, meine Liebe, heute wird es mir endlich gelingen, die steifen Filzsohlen etwas anzuheben, nicht allzuhoch, aber doch so, daß sich Ihr Füßchen automatisch hebt und Ihr Knie automatisch

winkelt, nicht allzusehr, aber doch so, daß Ihre Säume
ein wenig hochrutschen, nicht allzuweit, aber doch weit
genug, daß ich, tief Atem holend, unter Ihre Glocke tau-
chen, die Augen aufreißen und ganz oben – –

19

Nebel. Aber dann wurde es heller, über den grauen Hü-
geln schwamm buttrig die Sonne, und die Schneider-
witwe Katz, die mit ihrem Karren und den sieben Kindern über Land zog, mußte sich immer wieder den
Schweiß abwischen. Joseph, der Älteste, hing an der
Deichsel. Seine Geschwister sowie ein alter Koffer und
die Körbe mit dem Hausrat wankten und schwankten
auf der Fuhre. Wenn es hügelan ging, stemmte sich die
Mutter hinter den Karren. Schneller, rief sie, den Kopf
zwischen die gestreckten Arme gedrückt, mach schon,
zieh!

Der Weg führte von einem Hügel zum andern, und
hinter jedem Hügel, dessen Kuppe von einem Nußbaum
gekrönt war, schien mit einer weißen Kirche und den ge-
raniengeschmückten Bauernhäusern immer wieder das
gleiche Dorf in der dunstigen Senke zu liegen, stets das
gleiche Dorf, der gleiche Turm, die gleichen blumenge-
schmückten Häuser. Kamen sie überhaupt voran?

Wenn sie nach der Ebene fragten, schüttelten die

Bauern den Kopf, manche spuckten Flüche aus, und höchstens mal ein Vazierender, der mit einem Arztköf, ferchen voller Tinkturen über die Dörfer zog, wies die Bagage nordostwärts weiter, auf die Berge zu. Wo sollte dort eine Ebene liegen?

Eines Morgens wußte die Mutter nicht mehr weiter. Wieder war es neblig und schwül. Da geschah das Wun, der. Eine graue Gestalt ging vorbei, Joseph packte sie am Mantelärmel und fragte, da er das Schluchzen der Mutter nicht mehr aushielt, wo die Ebene sei. Die Gestalt streckte die Hand aus und wies mit dem Zeigefinger in den dick verhockenden, kaltfeuchten, gelblichgrauen Ne, bel. Hier, sagte die Gestalt, das ist die Ebene.

Nirgendwo Häuser, kein Baum, ja nicht einmal ein Strauch, der Weg wurde weich und ging über schwan, kend schwimmende Brücken, zusammengebundene Holzprügel, die durch die Sümpfe führten. Unter ihnen gluckste und gurgelte es, überall Wasser, jedoch zuge, wachsen, wie verborgen, darüber der Nebel. Es war tatsächlich die Ebene, nach einem Fluß benannt, der Linth. Die Mutter weinte wieder, jetzt vor Glück. End, lich am Ziel. Joseph hatte sich alles größer vorgestellt, weiter, schöner. Denn als der Nebel sich lichtete, sah er: Die Linth,Ebene war nur ein Streifen Sumpfland zwi, schen zwei parallel liegenden Bergrücken, ohne Him, mel, ohne Bäume und mit einem Kanal, der das Land schnurgerade durchschnitt. Aber für die Mutter war es die Ebene, von der ihr Mann immer erzählt hatte, und so beschloß sie, mit ihren Kindern hier zu bleiben.

Sie lebten in der Hütte eines Torfstechers am Fuß eines aufgeschütteten Dammes. Eine Eisenbahngesell-schaft hatte versucht, eine Linie zu legen, doch endeten Damm und Projekt, wie hier alles endete – sie versan-ken im Sumpf. Um sich und die Kinder über Wasser zu halten, ging die Mutter als Näherin auf die Stör. So ge-schickt wie ihr Mann war sie zwar nicht, jedenfalls nicht mit den Händen, doch hatte sie oft genug und rot vor Wut zuhören müssen, wie er seine Ware an die Kund-schaft gebracht hatte. Nun tat sie es ihm nach, und mit dem Mund, das zeigte sich bald, war sie besser als Katz, ihr verstorbener Mann. Diese Ellbogenwärmer, konnte sie keck behaupten, besiegen Gicht und Rheuma, und diese Unterkleider – o là là! die wärmen uns nicht nur die Nieren, Monsieur, die geben ihrem Träger eine Kraft zu-rück, die er seit Jünglingstagen vermißt. Aber Pst, sagen Sie's nicht weiter!

Im Sommer löste sich der Himmel in Punkte auf, Myriaden von Mücken sirrten, und da sie alles einwolk-ten, Hütten und Hunde und Menschen, löste sich auch die Ebene auf – die Katz, unterwegs zu einem Kunden, wankte als Säule über den hölzernen Läufer, eine Säule aus sausend brausenden Mücken, und der Klumpen, der ihr hinterherkroch, konnte ihr Ältester sein oder ein Hund, man sah es nicht mehr, hier waren die Plagen ägyptisch, im Sommer kamen die Mücken, im Herbst lag der Nebel, diese faulig stinkende Brühe, aus der immer wieder Rufe zu hören waren, mal nah, mal fern, oft verzweifelt, ein Landstraßenläufer oder gar ein Dammbewohner hatte sich verlaufen und irrte als Schatten durch die weiße, übel verseuchte Nacht. Niemand machte sich auf, um fernen Rufen oder verzweifelten Schreien nachzugehen, es wäre sinnlos gewesen, in der Ebene war der Mensch von seinen Gespenstern nicht zu unterscheiden.

Irgendwann wurden die Rufe leiser, dann erstickten sie, und dann war es still. Kein Vogelrufen mehr, kein Gequake, kein Quarren, nichts. Nur Nebel. Was nicht aufhört, hatte der Vater einmal gesagt, heißt Rußland. Jetzt hatte sich das Wort erfüllt. Die Linth-Ebene war unendlich geworden. Der Nebel hatte sich zwar verzogen, die Berge standen nah, aber trotzdem war die Ebene so weit wie jenes Land, das Sender Katz vor Jahr und Tag verlassen hatte. Joseph Katz, Senders ältester Sohn, stand auf dem Damm, den jüngsten Bruder auf dem Arm, die andern Geschwister um sich herum, und alle sahen stumm und ohne Hoffnung zu, wie Männer mit Stangen den hölzernen Pfaden entlang die Tiefe abstocherten. Hie und da blieben sie stehen, zogen etwas herauf, doch wußten alle, auch die Katzenkinder, daß die Suche vergeblich war. Sie würden die Mutter niemals finden. Die Ebene war einfach zu groß.

20

Es wurde Winter, die Ebene fror zu. Und wieder stand eines Nachts der junge Joseph Katz, der später mein Großvater werden sollte, auf dem Damm. Er war in Decken und Kartoffelsäcke gemummt und sah stumm auf die eishelle Ebene hinaus.

Noch am Tag, da sie aufgehört hatten, mit ihren Stangen nach der Mutter zu stochern, waren Feuerwehrmänner und zwei unentwegt betende Nonnen vor der Hütte erschienen, hatten die Kleinen herausgerufen, hatten sie gepackt, mit Weihwasser abgespritzt und über den Damm davongetragen. Seither lebten seine Geschwister im Waisenhaus, verhungern würden sie nicht, einmal am Tag gab es Brei oder Suppe, dazu einen Mocken Brot, am Sonntag Käse, manchmal sogar Milch, und im Pritschenpferch – Joseph Katz hatte es durch die vergitterten Fenster gesehen – lag für jedes Waisenkind, sauber gefaltet, eine filzartige Decke. Sie hatten zu leben, sie hatten zu essen, doch war es ein Makel, schlimmer als ein Kainsmal, armengenössig zu sein. In Uznach, wo die Kirche stand, durften sie nicht durch die Hauptstraße gehen; kam ihnen auf dem Damm jemand entgegen, mußten sie zur Seite treten, und wehe dem Waisenkind, das es unterlassen hatte, einen Vorübergehenden mit tief gezogener Mütze zu grüßen! Es wurde in den Arrest geworfen, in ein schauerliches Verlies, wo knöcheltief das

Wasser stand. Leben? Das schon, ja, aber es war ein Leben in der Hölle.

Die Ebene war von Sternenlicht überglitzert, fern
bellten Hunde, eine Kette von Zurufen, allmählich sich
verlierend, und wieder wurde es still. Als es zu dämmern
begann, stand Joseph Katz in Uznach vor dem Pfarrer.
Er zog die Mütze, senkte den Schädel und bat darum,
zum Vormund seiner unmündigen Geschwister berufen
zu werden.

Ich kann viel für dich tun, sagte der Pfarrer, aber alles
schön der Reihe nach, gelt, Joseph Katz?

21

Im Winter war der Boden wie Eisen, der Sumpf wie
Stein, Joseph Katz jedoch, zum Briefträger avanciert,
hielt sich auch in dieser Jahreszeit, da man kreuz und
quer über die Ebene ging, peinlich genau an die Som-
merwege mit ihren Dämmen und den Läufern aus Holzprügeln. Das sah an einem heiterblauen Januartag lä-
cherlich aus, versteht sich, die Kinder rannten im Hui
über die gefrorene Fläche, während der junge Briefträger,
der zudem seine Tasche zu schleppen hatte, in gezirkel-
ten Umwegen eine unnötig lange Strecke abschritt. Er sei
verrückt, meinten sie, halt ein Fremder, kein Hiesiger,
doch schon bald begannen sie zu merken, daß sich die

Gewohnheit des Briefträgers, stets denselben Weg zu gehen, segensreich auswirkte. Wenn sich alle andern im Nebel verliefen oder vor lauter Angst, sie könnten auf eine tauende Scholle geraten, dringende Gänge unterlassen mußten, zog Joseph Katz mit präziser Sicherheit durch die milchige Brühe. Immer hatte er festen Boden unter den Füßen. Er wußte, wo es langging. Dank ihm kamen die Briefe auch an Nebeltagen in die Häuser, und selbstverständlich hatte der Pöstler nichts dagegen, wenn man ihn hin und wieder bat, neben seiner Botentätigkeit das eine oder andere Geschäft zu erledigen. Mal zog er eine kranke Kuh zum Schlachthaus, mal brachte er eine Schar Kinder zur Schule, und eines Tages gab ihm eine schöne Witwe ihr Gebiß mit, damit er es in Uznach zur Reparatur abliefere. Drei Tage später kam Katz mit den geflickten Zähnen zurück, die Witwe setzte sie ein und sagte mit einem blitzenden Lächeln: Küß mich, Katz.

Am anderen Tag hatte er einen Brief in der Tasche, worin die Witwe, die offenbar über gewisse Verbindungen verfügte, die zuständige Behörde darauf aufmerksam machte, daß man dem Katz Joseph versprochen habe, er würde zum Vormund seiner Geschwister berufen. Der Brief löste einiges aus. Von den sechs Katzen, erklärte ihm der Waisenvater, könne er deren vier gleich mitnehmen. Nur vier? Katz erschrak. Ich will alle sechs, sagte er.

Nun, meinte der Waisenvater, dafür sei die Kirche zuständig, aber nirgendwo, weder im Pfarrhaus noch im nahen Kloster Wurmsbach, schien man von den Verschollenen etwas zu wissen. Um sie zu finden, stieg der junge Katz noch ein paar Mal zur Witwe ins Bett, steckte seine Zunge zwischen die falschen Zähne, küßte und liebte sie, aber wohin diese auch schrieb, keine Gemeindekanzlei konnte weiterhelfen, zwei seiner sechs Geschwister blieben verschwunden. Er gab nicht auf. Er fragte da und fragte dort, und vermutlich hat Joseph Katz, mein Großvater, seine Suche nach diesen zwei mehr und mehr sich verflüchtigenden, ihm schließlich unbekannten, ja völlig fremden Wesen bis zu seinem Tod nicht aufgegeben.

Bevor der nächste Sommer die Mückenschwärme brachte, konnte der Vormund mit seinen vier Mündeln die Ebene verlassen. In Kaltbrunn, einem Dorf am Rickenpaß, hatten sie ihn trotz seiner Jugend – Katz war noch keine siebzehn Jahre alt – zum Posthalter gewählt. Er selbst hat später den schriftlichen Verdacht geäußert, die in der Ebene hätten ihn weghaben wollen, die Fragerei nach seinen Brüdern sei ihnen mehr und mehr auf die Nerven gegangen. Wie auch immer, nun ging die Reise weiter, wieder packten die Katzen ihren Hausrat auf einen Leiterwagen und zogen rumpelnd los.

In Kaltbrunn kamen sie gut über die Runden. Katz machte die Post, und die Geschwister trugen sie aus. Als die zwei älteren Brüder mit der Schule fertig waren, fanden sie in einer Textilfabrik Arbeit, beim kantonsberühmten Zellweger, und Joseph kündigte seine Posthalterstelle, um in Zürich die Matura nachzuholen und Jura zu studieren. Zwar verspürte er nicht den geringsten Hang zu dieser Wissenschaft, doch wollte er die Gesetze kennenlernen, die man angewandt hatte, um zwei seiner Geschwister verschwinden zu lassen. Er brauchte sechs Semester, schon war er fertig. Die beiden Brüder, die beim Zellweger arbeiteten, waren inzwischen zu guten Posten gekommen; der eine zeichnete Muster, der andere kümmerte sich um die Stoffe. Eines Tages traf ein Telegramm ein, abgesandt aus Polen: Zellweger bei Duell gefallen. Da wandte sich die junge Witwe, eine geborene Singer, an die beiden Katzen und erhielt von diesen den Rat, sich doch lieber an Joseph zu halten, ihren Bruder, den frisch promovierten Juristen. Drei Monate später wurde geheiratet. Die beiden Textil-Brüder bestanden darauf, daß der Name Katz vor den Namen Zellweger käme, Joseph wehrte sich, wollte nichts davon wissen, und als er schließlich nachgab und die vier Buchstaben auf den Dachfirst setzen ließ, war es bereits zu spät, die drei Katzen hatten sich übel verkracht. Der eine schiffte sich nach Manila ein, und der andere zog ostwärts davon, angeblich in eine galizische Stadt, wo er als Schneider für die untergehende k.u.k.-Armee in russische Gefangenschaft und so in jene Weite geriet, die niemals aufhört.

Joseph Katz blieb traurig zurück. Von den sechs Geschwistern hatte er vier verloren, zwei im Waisenhaus, zwei durch Streit, und die beiden Schwestern, die noch übrigblieben, empfand er mehr und mehr als eine Last. Zwischen den Augen wuchs ihnen ein böser Finger hervor, der sich bis zum fliehenden Kinn hinabzukrümmen versuchte. Es war aussichtslos – diese Nasen brachte er nie und nimmer an den Mann!

Noch vor dem ersten Krieg, im August 1913, kam Jacobus auf die Welt, das erste Kind der Seidenherrin, und offenbar muß es Joseph Katz, dem Vater, gefallen haben, sich mit Frau und Kind immer wieder photographieren zu lassen. Als er dann zum zweiten Mal Vater wurde, das war 1926, nahm seine Bilderlust noch zu, die kleine Nachzüglerin hieß Theres, und es wimmelte von Photographien, die ihr rasches Wachsen festhalten sollten – die Taufe, den ersten Schultag, die erste Heilige Kommunion. Alle machen immer ein fröhliches Gesicht. Eine normale Familie: Vater, Mutter, ein strammer Junge, ein herziges Mädchen, meist im weißen Seidenkleidchen, und zwei lange, dürre Tanten mit Brillen. Alles gut, alles normal – wäre nur die Nase nicht gewesen!

22

Brachte ich die studierten Bücher, Broschüren, Zeitungs-
bände und Papiere zurück, lagen auf dem Tresen jeweils neue bereit, teils von mir bestellt, teils vom Scriptorium dazugelegt, der Vorgang wurde zur Routine,
meinen Eifer sahen sie gern. Storchenbein, der Vize des
Onkels, war der Chef im Scriptorium. Ihm sollten die
Hilfsbibliothekare gehorchen, doch schien Storchenbein
eher den Kasper zu machen, flüsterte Herrenwitze und
brachte mit einem salbungsvollen: Nunu, was darf es
denn sein, Nepos praefecti? seine Untergebenen in eine
grunzend gute Laune. Ich mochte Storchenbein. Er
meinte es gut mit mir. Bis zum nächsten Mal, Vize Storchenbein, vielen Dank!

Die Woche neigte sich dem Ende zu, der lange Tag
begann zu vergehen, und wie an jedem Abend war auch
heute die Abendschöne unsere letzte Besucherin. Warum
sie immer wieder kam, wußte niemand, und niemand,
vermute ich, hat je mit ihr gesprochen, sie gehörte zum
Inventar, sie war unsere Dämmerung, glitt auf den Filzpantoffeln wie eine Eisprinzessin über den leis knarren-
den Bodenhimmel, drehte Kreise, zeigte Figuren, flat-
terte und schwebte, von den Aufsehern kaum noch
wahrgenommen, ein Schatten unter Schatten, bis dann,
ihre Hände in die Hüften gestemmt, die Stark unseren
Tag beendete: Die Bibliothek ist geschlossen!

Sie rief es jeden Abend, und jeden Abend trat sie wie der Paradiesengel in den Portalrahmen, um mit strengem Blick zu warten, bis sich die letzte Besucherin mit einer hauchzarten Geruchsschleppe durch den Gang entfernte. Nach Rosenblüten roch sie — ich fügte ihre Pantoffeln zum Paar, schob sie zwischen die andern, und damit standen meine Reihen, wie es sich zum Schluß des Tages gehörte, wie eine Kompanie im Glied: Helme zur Wand, Zungen zum Flur.

Die Stark beobachtete den Abgang der Abendschönen, der Riegel wurde vorgeschoben, und ich wagte es schließlich doch, über die Beine das Bäuchlein den Busen den Blick am Fräulein hochgleiten zu lassen. Sie jedoch, als habe sie mein Wittern der Rosenblüten bemerkt, sah mit kalten Augen auf mich herab. Er ist eben doch ein Katz, schien sie zu denken, er kann das Riechen und Schauen nicht lassen.

23

Und nach wie vor kamen die Busse, nach wie vor die Frischvermählten, und da nun auch die Schüler kamen, begann für die Stiftsbibliothek unmittelbar nach der Augustflaute die beste Zeit des Jahres. Es strömten die Gruppen, es drängelten die Klassenfahrten, und alle paar Tage tippelte ein Pulk Japaner auf mich zu, faßte stumm die Pantoffeln, verneigte sich knapp, dann zog einer hinter dem andern, als liefen sie am Seil, ins Innere, wo sie sich von einer Vitrine zur nächsten schlängelten, von der Nibelungen-Handschrift B bis zur ägyptischen Mumie. Manchmal waren wir derart überlaufen, daß sogar der greise Türhüter aus seiner Versteinerung erwachen und die eine oder andere Gruppe führen mußte, vom Mittelalter in den Barock, von der Morgenseite (mit den Schränken DD bis QQ) bis zur Abendseite (CC bis PP). Auch das Fräulein Stark wurde jetzt häufig auf schwierige Missionen geschickt. Der Onkel hatte ihr ein paar lateinische Floskeln beigebracht, so daß ausgerechnet sie, die Analphabetin, die aus aller Welt anreisenden Gelehrten am Bahnhof abholen und zum Onkel ins Büro führen durfte: Venite, librorum amatores, hoc est praefecti nostri tabularium – folgt mir, Bücherfreunde, hier geht es zum Büro unseres Chefs!

Natürlich hätte ich die lateinischen Floskeln leichter gelernt und korrekter beherrscht als die Appenzellerin, aber zum einen wurde ich dringender als je in den Pantoffeln gebraucht, und zum andern eignete ich mich als Führer einer Schülerschar weitaus besser als der kopfwacklige, die Zeitalter verwechselnde Türhüter. Nachdem ich dafür gesorgt hatte, daß alle in ihre Filze geschlüpft waren, hob ich die Rechte, zeigte nach oben und sagte im salbungsvollen Onkelton: Meine lieben Primarschülerinnen aus dem schönen Niederbipp bei Solothurn, im Anfang war das Wort, dann kam die Bibliothek, und erst danach, also an dritter und letzter Stelle, kommen wir, wir Menschen und die Dinge. Nomina ante res!

Nomina ante res, wiederholte ich.

Blaue Augen, blonde Zöpfe, da war nichts zu machen. Ich winkte sie ins Innere, dann legte ich meine Seidenhand um den Ellbogen der Lehrerin und bat sie, den Blick noch einmal nach oben zu richten, auf die Inschrift im Portalbogen. Diodorus Siculus, flüsterte ich, erstes Jahrhundert ante Christum natum.

Hä?

Dumme Kuh! Aber bitte, das ist das Los eines vom Onkel geprägten Kulturführers. Entweder hat man es mit den schlichtesten Varianten zu tun oder – was noch schlimmer ist, viel schlimmer! – mit dem Typ des Besserwissers. Der kann einen wirklich fertigmachen, und ich muß gestehen: Dies ist mir öfter passiert. Man erkennt den Besserwisser auf Anhieb, und zwar am Blick, das heißt an den grauverschleierten, vollkommen interesselosen Augen seiner Gattin, die der Besserwisser im Schlepptau führt wie ein Japaner den andern. Kaum hat er den Saal betreten, fuchtelt der Besserwisser zur sterbenden Cäcilia hinauf, weist auf die Stellung der Füße hin, erklärt die Farbe des Blutes, dann will er hören, wer sie gemalt habe, vermutlich Stefano Maderno, ich bejahe, worauf der Besserwisser, vor lauter Stolz in den Knien wippend, noch rasch das Datum angibt: Um 1599 herum, nicht wahr?

Jawohl, Herr Doktor.

Na, Elfriede, wer sagts denn, bemerkt der Besserwisser und schleppt die tödlich ermattete Gattin zu den Vitrinen hinüber, wo er ihr weitere Bravourstücke seines Wissens vorführen wird. Ei, was haben wir denn da, etwa ein »Laus tibi Christe«, eine handschriftliche Sequenz zum Festtag der Unschuldigen Kinder, gedichtet vom St. Galler Mönch Notker, genannt Notker Balbulus, Notker der Stammler, circa 840 bis 912?

Bref: Wir alle hatten viel zu tun, waren dauernd im Einsatz, die Hitze hielt an, und weitere Reklamationen, registrierte ich erfreut, lagen offensichtlich nicht vor – inzwischen hatte ich natürlich dazugelernt und wurde im Umgang mit meinen Damen raffinierter, handfertiger, blickgewandter.

Oft kochte das Fräulein für mehrere Gäste, Gelehrte aus aller Welt, denen der Stiftsbibliothekar zur Laute lateinische Gedichte sang, Ovid oder Horaz, von ihm selber vertont, was mit Beifall quittiert wurde. Gelobt wurde auch das Fräulein, vor allem für ihre Bodenseefische, und einmal kam es sogar vor, daß ein Amerikaner, der ursprünglich aus Riga stammte, John Annus sein Name, die Eßzimmertafel mit zwei Flaschen verließ und sich nach nebenan setzte, wo er gemeinsam mit dem mädchenhaft kichernden Fräulein, wie der Onkel er-

67

staunt bemerkte, den gekühlten Féchy restlos wegsoff. Der Sommer erreichte den Zenit, und an diesen hellen, heißen Tagen, da frühmorgens ein vorzeitiger Hauch von herbstlicher Kühle in den Klostergängen hing, kam es mir hin und wieder vor, als würde sich aus ferner Zukunft eine dunkel bekuttete Gestalt heranschleichen, der Klosterschüler, der mich am ersten Donnerstag nach dem Rosenkranz-Sonntag – das war das Datum, da ich einzurücken hatte – erreichen, durchdringen und schließlich vollständig ersetzen würde. Wann war der Rosenkranz-Sonntag? Irgendwann im frühen Oktober, noch war es Sommer, jedenfalls ab neun Uhr morgens, nur selten fiel Regen, aber dennoch begann ich den dunklen Kerl zu fürchten, auch ein wenig zu hassen, zumal er in meiner Vorstellung, die Tag für Tag genauer wurde, nicht nur eine Kutte trug, sondern auch schwarze, vom Fräulein gestrickte Kniesocken. Der geht über Leichen, dachte ich, zumindest über meine.

24

Vor dem Diwan standen die beiden Lackschuhe mit den viereckigen Silberschnallen, der Onkel lag in den Seidenkissen und verfolgte, die Brille in die Denkerstirn geschoben, seinen durch die Phantasiestadt irrenden Wüstenvater. Wenn wir lasen, redeten wir kaum, aber sah der eine auf, tat es – fast gleichzeitig – auch der andere, zurrte die linke Augenbraue in die Höhe und lauschte nach nebenan.

Es war Samstagabend, wir hatten eine gute, allerdings nervenaufreibende Woche hinter uns, Busse im Dutzend, Hochzeitspaare, Schulklassen, Wandervögel, alles hatte in den Saal gedrängt, zu den Handschriften, zu den Büchern, das ist die heilige Cäcilia, meine Damen und Herren, das ist der Abrogans, die Tuotilo-Tafeln, die Nibelungen-Handschrift, und diese reich verzierten, sonnen- und zeitversengten Holzkästchen enthalten Buch 7 einer 36bändigen Ausgabe des Tao-te-king, verfaßt vom Philosophen Lao-tse. Um 600 vor Christus, fragt der Besserwisser dazwischen, und natürlich hat er recht, er hat ja immer recht, ich nicke, die Gattin blickt ins Leere, die Karawane zieht weiter, von Vitrine zu Vitrine, vom Mittelalter in den Barock, von der Morgenseite (DD bis QQ) bis zur Abendseite (CC bis PP).

Plötzlich sah der Onkel auf und sagte: Die vergangene Woche war ziemlich anstrengend. Auch sind die schönen Tage von Aranjuez, um mit Schiller zu reden, für dich bald vorbei, die Klosterschule erhebt sich drohend über den Horizont, weshalb ich ganz entschieden der Meinung bin, mein lieber Nepos, daß wir uns am morgigen Sonntag einen Ausflug ins Herrenleben gönnen sollten.

Die Flämmchen knisterten im flüssigen Wachs. Beide

horchten wir nach drüben, ins Eßzimmer, wo wieder das Klicken zu hören war, klickidi-klick, sie strickte immer noch, strickte Paar um Paar um Paar, der Wollteig wuchs und wucherte, irgendwann würde ich an diesem Koffer ersticken. Es bleibt unter uns, klar?

Jawohl, Onkel.

Und so gingen wir, beide gut gelaunt, am Sonntag-abend durch die Klostergasse in den »Porter«, das Stammlokal des Onkels. Für ihn, dozierte er auf dem Weg, befinde sich die Stadt noch immer im Mittelalter, und die Klostergasse sei eine einzige Kloake, Kloake im Wortsinn, hier würden sich seuchenträchtig die Abwäs-ser wälzen, Blut aus den Schlachthäusern, der Absud aus den Garküchen, die Rückstände der Färber, Gerber und Chirurgen, auch sei es Usus, die Pißpötte über der Gasse auszuschütten, stets und ständig klatsche Scheiße herab, es stinke zum Himmel, weshalb sich nur die Plebs, auch das niedere Volk genannt, ebenerdig zu verköstigen pflege. Kapiert, Nepos? Niemals ebenerdig absteigen!

Niemals ebenerdig!

Höhere Stände trinken oben!

Jawohl, Onkel.

Niemand schüttete über der Gasse den Pißpott aus, keine Scheiße klatschte herab, es war Sonntagabend und so still, daß das Surren der Trolleybusse durch die nahe Bahnhofstraße zu hören war. Hat der Onkel je aus sei-nem Leben erzählt, von seinen Ängsten und Freuden?

Ich glaube nicht. Das war Nunu-Zeug, seiner nicht würdig, er, der Stiftsbibliothekar, sprach von Kant oder Hegel und ließ keine Gelegenheit aus, seinen Neffen zu belehren. Während ich noch der mittelalterlichen, von üblen Gerüchen durchsetzten Gasse nachträumte, war er bereits beim nächsten Thema. Weißt du, wer Augustinus ist?

Wer kennt ihn nicht, antwortete ich lächelnd. Der Spruch, wonach uns der letzte Tag zumindest als Kämpfer finden soll, stammte von Augustinus und hing im Scriptorium an der Wand.

Für Augustinus, sagte der Onkel, gebe es kein Präsens, keine Gegenwart. Entweder lebten wir in der Vergangenheit, meine Augustinus, oder wir lebten in der Zukunft, denn wer jetzt! sage, jetzt!, dem sei dieses Jetzt immer schon davongehopst, davongehopst, davongehopst...

Mit einigen Sprüngen machte er vor, was Augustinus meinte, und ein junges Pärchen, das uns entgegenkam, drückte sich vor dem vorbeihopsenden Prälaten erschrocken an die Hausmauer. Gut, die Lektion über das Mittelalter konnte ich verstehen, er war Bibliothekar und lebte in längst versunkenen Zeiten und Reichen. Aber was sollte der Hinweis auf Augustinus bedeuten? War es ein verdecktes Lob? Gab er mir den Rat, mich auch künftig mit der Vergangenheit zu beschäftigen, das Leben im Perfekt aufzuspüren? Oder war es gerade umgekehrt? Zeigte sein Hopsen, daß es eben doch ein Jetzt gibt? Ich hatte den Schatten am Fuß der Leiter nicht vergessen, sein stummes Davongleiten zwischen den hohen Gestellen, und auf einmal hatte ich das ungute Gefühl, die freundliche Einladung in sein Stammlokal könnte eine Art Bestechung sein, nämlich der onkeltypische Versuch, eine leise Verstimmung zwischen uns, ohne sie im geringsten zu erwähnen, aus der Welt zu schlucken. Wie mußte ich sein Hopsen interpretieren, als Lob oder als Tadel? Sollte ich die Pfoten von den Katzen lassen oder noch tiefer in ihre Geschichte hineinkriechen? Er war um die Ecke verschwunden, das Pärchen glotzte, verlegen zog ich meine Mütze, dann sah ich zu, daß ich den Onkel einholte.

25

An zwei erstklassigen, jedoch ebenerdigen Gastwirtschaften zogen wir naserümpfend vorbei und stiegen nun, wie es sich für höhere Stände gehörte, durch ein muffig nach Wein und Fett stinkendes Treppenhaus in den ersten Stock hinauf, wo es sich, so der Onkel, hinter fugendicht verbleiten Butzenscheiben prima pokulieren lasse. Im alten »Porter«, verkündete er, auf der obersten Stufe innehaltend, sei man über die Kloake erhaben, hier sei der Service gepflegt, der Wirt ein Herr und die Tafel schön und herrlich, id est: pulcher et speciosus. Obwohl ich roch, daß dieser im Ersten gelegene »Porter« mitsamt Besitzer, Stammtisch und den paar letzten Gästen jämmerlich heruntergekommen war, gab ich ihm selbstverständlich recht. Gott zum Gruß, rief der Stiftsbibliothekar in die Stille, übergab dem herbeigeschlurften Wirt den breitkrempigen Prälatenhut und nahm am Stammtisch Platz.

Es wurde ein seltsamer Abend. Die Corona empfing mich freundlich, und der Wirt, der mit seinen Seeräuberstoppeln, blutunterlaufenen Augen und einer violett verporten Nase zum Fürchten aussah, erkundigte sich mit übertreibender Höflichkeit, was ich zu speisen wünsche. Beim Prälaten weiß ichs, fügte er grinsend hinzu.

Ganz recht, bestätigte der Onkel, ich liebe Schweinsbratwürste über alles!

Also eine Schweinsbratwurst, flötete der Wirt, und was, bittesehr, wünscht der junge Herr zu speisen?

Das gleiche wie der Onkel!

Bravobravo, anerkennendes Grinsen, dann stützten alle die Humpen an, kippten die Köpfe in den Nacken und ließen das Bier glucksend in sich hineinlaufen. Dieser Vorgang wurde mehrmals wiederholt, erst in rascher Folge, später etwas langsamer, und jedesmal, wenn sie die gemeinsam geleerten Gläser ratternd abgestellt hatten, kam der Wirt angeschlarpt, bereits gezapfte Biere auf dem Tablett, und fragte scheinheilig, wer die Runde übernehme. Praefectus librorum, riefen die Herren im Chor, worauf sich der Onkel zurücklehnte und die Huldigung mit einem päpstlichen Winken der rechten, dick beringten Hand verdankte.

Inzwischen hatte uns Porter die Schweinsbratwurst serviert, und sogar dem Onkel, der sich ja nur mäßig auf unsere Ding- und Fleischeswelt einließ, stieß sie säuerlich auf. Nachdem er vergeblich versucht hatte, die Gummihaut zu zersägen, lehnte er sich zurück und meinte lächelnd: Nunu, halten wir uns an den Kollegen Wittgenstein. Der soll einmal bemerkt haben, ihm sei es egal, was er esse, Hauptsache, es handle sich jeden Tag um das gleiche.

Die Corona brüllte.

Onkel, fragte ich leise, muß ich das essen?

Ja, meinte er, selbstverständlich, wirklich sei ja nur das Wort, woraus folge, daß das Fleisch, jedes Fleisch, auch das Fleisch auf unserem Teller, im Grunde genommen keine Wirklichkeit habe. Bene sit tibi cena, nepos! – einen guten Appetit!

Wie kann denn eine Wurst, an der man gerade herumkätscht, *unwirklich* sein, hätte ich gern gefragt, ließ es aber bleiben und aß. Der Onkel spülte die Bissen mit Bier hinunter. Dann legte er die beringten Hände links und rechts neben den Teller und erklärte, indem er seinen Blick nach oben sandte, zur Decke: Porter, es war exquisit!

Speciosus, fügte ich hinzu.

Die Corona fand das zum Schreien, ich lachte mit, und Altherr Hassan, mir zulächelnd, sagte zum Onkel: Alter Knabe, dein Nepos ist einer von uns.

Über dem Tresen hing an zwei gelben Ketten der uringelbe Balken einer Bierreklame, und über unserem Tisch schwebte im bläulichen Rauch eine Lampe, die ölige Glanzlappen auf die Kahlschädel der Altherren legte. Die Wunden, die man ihnen auf dem Paukboden, unmittelbar nach dem Stich, zusammengeflickt hatte, hockten ihnen wie weiße Spinnen auf den rasierten Wangen, und wiewohl diese Kämpfe vor Urzeiten stattgefunden hatten, irgendwann in ihrer Jugend, Jahre vor dem Krieg, beim einen in Heidelberg, beim andern in Marburg, sprachen sie so erregt über ihre Wunden, als sei der Arzt, der sie seinerzeit behandelt hatte, eben davongetorkelt. Wieder Gelächter. Noch eine Runde. Wer sie übernehme, fragte der Wirt. Praefectus librorum! – und erwartungsgemäß deutete die beringte Prälatenhand eine Segnung an, die zugleich dem flockig schäumenden Bier und den hier versammelten Altherren gelten sollte.

Seitdem ich die Gummiwurst bezwungen hatte, fühlte ich mich wohl und wohler. Da ich bald in die Einsiedler Klosterschule einrücken würde, titulierten sie mich Studiosus, und ich durfte mit sogenannten Pfiffen, dem kleinsten Bierglas, die eine oder andere Runde begleiten, sine-sine!

Ex, krähte die Corona.

Prima, lobte mich Hassan, du bist wahrhaftig ein Hauptkerl, Studiosus, einer von uns!

Hoch! – und wieder kippten die Köpfe in den Nakken, wieder wurden die Gläser angestützt, der Wirt kredenzte die neuen, sine sine, halte mit, was für ein Abend, was für eine Nacht!

Die Klosterschule, erklärte Tasso Birri, ein emeritierter Gymnasialprofessor, ist eine Kaderschmiede. Da trennt sich die Spreu vom Weizen. Nur die Besten überleben. Nur die *Stärksten,* korrigierte er sich und deutete augenzwinkernd an, wer damit gemeint sei, nämlich wir zwei, er, Professor Birri, und ich, hart wie Kruppstahl, zäh wie Leder, fettes Gelächter. Zwar hatte ich noch keinen Fuß in das ferne, in einem Hochtal gelegene Stift gesetzt, aber dennoch gab ich dem Gymnasialprofessor, bei dem schon Mama gelernt hatte, vollkommen recht. Wer am Porterstamm mithalten konnte, mußte ein Kerl sein, ein Hauptkerl, einer von ihnen, ex!

Wer zahlt?

Praefectus librorum!

Am liebsten hätte ich auf dem Abort die Kacheln geküßt. Alles war jetzt schön, ging leicht, wen wunderts, daß mir die Altherren, als ich zum Tisch zurückschwankte, anerkennend zugrinsten.

Um zehn Uhr abends kippte die Stimmung. Die Altherren hatten unsinnige Reden zu halten begonnen, erst ging es um die Kinderlähmung, dann um die Frage, ob die Kinderlähmung eine Strafe sei oder doch eher eine Gnade, von Gott verliehen, um durch die Lähmung mögliche Sünden zu verhindern, insonderheit im Bereich des Sechsten, und schließlich rief Professor Birri, der sich mehr und mehr zum Wortführer aufgeschwungen hatte, wenn der Herr Stiftsbibliothekar behaupte, seine Bücherarche würde sämtliche Wörter enthalten, so irre er sich.

Nein!

Doch.

Nein!, rief der Onkel, er irre sich nicht, an Bord der Bücherarche würden wir sämtliche Begriffe führen, alle Wörter von Aristoteles bis Zyste. Wetten?

Akzeptiert.

Was gilts?

Eine Runde.

Handschlag.

Also, fragte der Onkel, was für ein Wort soll uns fehlen?

Der g'stampfte Jud, sagte Tasso Birri, donnerndes Gelächter, auch vom Gastwirt, bring die Runde, Porter, der Katz bezahlt!

Während die Runde serviert wurde, belehrten sie mich von allen Seiten, was unter einem g'stampften Juden zu verstehen sei, nämlich ein Brotaufstrich, eine Art Wurstpaste, mehr Fett als Fleisch, aber durchaus eßbar, jedenfalls nahrhaft, mit dem g'stampften Juden, meinte

Professor Birri voller Stolz, haben wir unsern Füsilier durch den Krieg gefüttert.

Bald danach sanken die meisten Schädel auf die brustbandbewehrte Weste, auch Altherr Hadubrand, der mir bisher nicht aufgefallen war, ließ mit seltsamer Langsamkeit seinen Kopf nach vorn sinken, genau über das Glas, das er mit heraushängenden Augenkugeln derart intensiv anstarrte, als würde ihm gleich die Kotze kommen. Doch kaum trat der Wirt an seine Seite, schien der dicke Hadubrand wiederaufzuleben, der Mund würgte ein paar grunzende Laute hervor, und die Rechte, die zu Porters Podex gefunden hatte, begann diesen knetend zu liebkosen. Seelenruhig ließ es sich Porter gefallen. Sie hat heute frei, sagte er nur.

Frei? Wer hat heute frei?

Der Wirt steckte die Schwurfinger in drei leere Gläser und schlurfte damit zum Tresen. Ein Y, das sich quer über den Rücken spannte, hielt seine faßartigen Hosen fest. Minutenlang blieb es still. Die Corona dämmerte vor sich hin. Der Onkel schwieg.

26

Auch meine Stimmung war gekippt, von einem Pfiff zum andern, halb schlief ich nun, halb war ich wach, und aus dem allmählichen Erlöschen des Gastbetriebs

– hinten war bereits aufgestuhlt – träumte sich ein zar-
ter Schatten in meine Seele hinein, der seltsame Wunsch,
nicht dem Onkel, sondern diesen wackeren Altherren
zu gleichen, einer von ihnen zu sein, ein Lautlacher,
ein Vieltrinker, normal bis in die Knochen. Natürlich
hatte ich einen Geschlechtsnamen, den man aussprechen
durfte, den Namen des Vaters, aber ich war eben doch
der Nepos eines Katz, der Sohn einer Kätzin, das paßte
mir immer weniger. Das Fräulein hatte recht gehabt,
von Anfang an. Bei einem Katz mußte man »besonders
aufpassen«. So einer hatte eine Nase, und die Nase wollte
wittern, und er hatte Augen, und die Augen mußten
schauen. Hinten, wo Porter aufgestuhlt hatte, lag nur
noch Vize Storchenbein mit dem Kopf auf dem Tisch.
Von den Stuhlbeinen eingegittert, war er eingeschlafen,
die Wange in einer Bierlache, und träumte wohl davon,
doch noch zu uns gerufen zu werden, an den Stamm.
Entweder war man einer von ihnen, oder man war Luft
für sie. Deshalb schickten mich die Eltern in die Klosterschule – mein Katzenwesen sollte unter der Kutte erstickt
werden, weg damit, fort mit Schaden, sei einer von uns,
einer wie alle, zäh wie Leder, hart wie Kruppstahl, normal bis in die Knochen.

Als es elf schlug, brachte Porter die letzte Lage, klirrend fuhren die Humpen zusammen, Altherr Hassan
stimmte einen Cantus an, und mit dem Refrain fielen
auch jene, die ich für tot gehalten hatte, fröhlich schie-

lend ein: Gaudeamus igitur, iuvenes dum suʼumus. Es war eine schwülheiße Sommernacht, und durch ein Fenster, das Porter zum Lüften aufgerissen hatte, sah ich hoch oben einen blinkenden Stern.

Mein Onkel, der Prälat mit den päpstlichen Ringen, Träger von Titeln und Schnallenschuhen, liebte nicht nur den pompösen Auftritt, er liebte auch den pompösen Abgang, vor allem in Trunkʼ und Frohlaune, weshalb wir – er voran, Altherr Hassan und ich hinterher –, ein Marienlied schmetternd, über die Porterstiege hinabpolterten. Der volltrunkene Hadubrand folgte ebenfalls, war jedoch nicht mehr in der Lage, auf einen absolut endgültig Allerletzten, wie der Onkel vorschlug, in die Bibliothek zu kommen. Zwischen den steilen Hauswänden zog er in einer rasanten Schlangenlinie durch die Klostergasse davon, irgend etwas von einem Besen rufend, einem Pfundsbesen, den er noch aufscheuchen werde. Besen wurden in der Sprache der Verbindungsstudenten die Frauen genannt, und da ich seit gut einer Stunde an nichts anderes als an all die Glocken dachte, die mich kolonnenweise in Versuchung führten, wäre ich lieber mit Hadubrand gegangen, folgte aber brav dem singend vorausmarschierenden Onkel und Altherrn Hassan. Maria zu lieʼhieben, krähten sie, ist aʼhallzeit mein Sinn.

Weit kamen wir nicht. Nachdem der Onkel den Schlüssel ins Loch gestochert und die äußere Tür geöffnet hatte, erhob sich vom Stuhl, wo tagsüber der greise Hü-

80

ter döste, die Stark. Sie knipste den Hauptschalter an, und der Barocksaal strahlte im feucht glänzenden, wie durch Tränen geschauten Festlicht aller Lüster und Lampen großartig auf. Altherr Hassan wußte offenbar, was dies zu bedeuten hatte, die Tür krachte zu, seine Schritte verhallten. Der Onkel riskierte ein Lächeln. Nunu, machte er, immer noch auf, meine Liebe?

Da sie an diesem Abend gebadet hatte, war ihr Zorn in eine Seifenwolke gehüllt. Der Onkel nahm mit der Rechten den Hut ab, wagte es aber nicht, diesen wie gewohnt dem Fräulein zu geben. Der kernseifige Erzengel trat einen Schritt zur Seite, worauf der Stiftsbibliothekar, ohne sich noch einmal umzusehen, in einem sonderbar steifen Schritt, aus dem er zwei oder drei Mal herausfiel, den langen Flur durchquerte, vom Engel gefolgt, steif und stumm. Wie ich früher einmal beobachtet hatte, würde er nun durch das Labyrinth der Gestelle des Katalogsaals in seine Gemächer und dort in die riesige, von einem Baldachin überdachte Bettstatt bugsiert. Auf den letzten Metern zöge ihm das Fräulein die rotgefütterte Soutane über den Kopf, und läge der ehrwürdige Monsignore rücklings in den vornehmsten Kissen aus der Katz-Zellwegerschen Seidenfabrik, würde sie ihm die Lackschühlein pflopf-pflopf von den Füßen lösen.

Sie hatte das Licht gelöscht, ich stand allein im nächtigen Flur. Allein – und von allen verlassen. Die Eltern hatten mich in die Bibliothek abgeschoben, und in weniger als einem Monat überstellte mich die Bibliothek in die ferne, in einem voralpinen Kessel gelegene Kloster-schule. Durch die hohen Fenster kam ein fahler Schein, und der Flur wurde ein schwarzer Kanal, auf dem mond-helle Fensterschatten lagen, nachts war alles noch größer, auch das Heimweh. Beinah hätte ich geheult. Geheult oder gelacht. Paare, überall Paare. Hadubrand hatte einen Besen, das Fräulein ihren Monsignore, Mama Papa, und sollte es diesmal klappen, würde meine Schwester bald ein Brüderchen haben. O ihr glücklichen Paare, flüsterte ich den Pantoffelpaaren zu, wenigstens habe ich euch, sonst wäre ich auf diesem Planeten ganz allein.

Komm jetzt!

Hatte ich geschlafen? Ich hockte mit dem Rücken an der Wand, hatte die Beine angezogen und hielt sie mit den Armen umschlungen. Trotzig blieb ich hocken, das Kinn auf die Knie gestützt, und wäre das Fräulein in diesem Augenblick entschwebt, hätte ich meine Weh-mut in den Schlaf getragen und vermutlich für immer vergessen. Aber sie legte sich in ein offenes Fenster, rauchte eine Zigarette in die Nacht hinaus und lud mich offensichtlich ein, meine Augen auf ihren Wolkenhin-tern zu legen. Vorher, im »Porter«, hatte ich mich groß gefühlt, jetzt war ich klein, ein Kind in den Pantoffeln, der arme Zwerg Nase aus der Märchensammlung »Die Karawane« von Wilhelm Hauff (unter dem Stichwort *Nase* gefunden, mit Erschütterung gelesen).

Hat er dummes Zeug geredet?

Nein, sagte ich. Hat er nicht.

Du hast geweint.

Ich schüttelte den Kopf.

Dann wars der Tasso Birri. Oder dieser schreckliche Altherr, der Hassan. Die reden alle dummes Zeug.

Mit feiner Nase atmete ich das Fräulein in mich ein, Kernseife und Zigarettenrauch sowie, von den Pantoffeln her, einen scharfen Wachsgeruch – da der Boden erst kürzlich gewienert worden war, klebte das Bohnerwachs an allen Sohlen. Auf einmal hörte ich aus der tiefen Nachtstille eine Stimme sprechen. Es war meine Stimme. Ich kann nichts dafür, sagte die Stimme.

Ja, sagte das Fräulein, es liegt halt im Blut.

Ich hätte gern gefragt, was sie meine, aber die Tränen, die über meine Wangen hinabbrannten, sagten sowieso, was ich vor dem Fräulein nicht auszusprechen wagte. Sie spickte ihren Zigarettenstummel wie eine Sternschnuppe in die Nacht hinaus, dann setzte sie sich an meine Seite, und ich schämte mich nicht, wie ein Kind zu heulen, laut und in heftigen Stößen. Das Fräulein schwieg, aber ich fühlte, daß sie mich verstand. Es lag im Blut. Ich konnte nichts dafür. Aber ich will dagegen kämpfen, sagte ich schniefend, Fräulein Stark, ich möchte sein wie alle.

Dann kämpf, sagte sie freundlich. Bete zur Muttergottes, und bitte sie, dir zu helfen.

Betrunken warf ich mich vor dem Bett auf die Knie. Jawohl, ich würde kämpfen. Ich wollte einer von ihnen werden, einer wie alle – eine Normalseele, die nur dann eine Schweinsbratwurst bestellt, wenn sie Schweinsbrat- würste wirklich mag. Wie die Altherren. Sie ließen sich dazu herab, die vom Onkel spendierten Biere zu trinken, und nahmen ihr Abendessen in Gaststätten ein, die ihre Gäste mit weißen Tischtüchern auf Straßenhöhe emp- fingen. Diese Herren imponierten mir, und ich konnte nur hoffen, daß ich es schaffen würde, das Katzenhafte aus mir hinauszubeten.

27

Am andern Morgen – es war ein Montag – war es wun- derbar still. Es klickte nicht mehr, sie hatte aufgehört zu stricken, saß am Küchentisch und sah mir lächelnd zu, wie ich in kleinen Schlucken meine Milch trank. Sie wußte jetzt, daß ich noch nicht verloren war, ich würde mein Katzenwesen abtöten, nie mehr schnuppern, nie mehr blicken, und sollte mich der letzte Tag nicht als Sieger finden, konnten wir mit Augustinus sagen, würde ich immerhin gekämpft haben. Magst noch ein Butter- brötchen?

Monsignore, erfuhr ich beim Mittagessen, war auf Inspektion.

Ausgerechnet heute? Mir gefiel das nicht, schließlich war ich seit gestern nacht entschlossen, mich von ihm abzusetzen. Das Fräulein las meine Gedanken. Nun sei nicht traurig, sagte sie lachend, der kommt schon wieder. Es ist eine Ochsenzunge in Rotweinsauce. Schmeckt sie dir?

Dazu gab es Kartoffelstock und Bohnen, ein Festessen, beinahe ein Taufessen, denn ich hatte ihr versprochen, ein neuer, ein besserer Mensch werden zu wollen, und aß und würgte und schluckte. Kurz vor eins, als ich schon an der Tür stand, um rechtzeitig in die Pantoffeln zu kommen, ließ ich mir eine Praline, aus der sie zuvor den Likör geschlürft hatte, wie eine Hostie auf die Zunge legen, und das Fräulein sprach leise: Du wirst es schaffen.

Ja, Fräulein Stark.

Die Madonna hilft dir.

Danke, Fräulein Stark.

Der Onkel, gewandet wie ein Tropenmissionar, weiße Soutane, weißer Hut, stürmte wenig später aus dem Saal, im Gefolge Vize Storchenbein und sämtliche Hilfsbibliothekare, alle verschwitzt, gräulich verstaubt, außer Atem, offenbar waren sie stundenlang durch die hinteren und oberen Säle gekrochen, durch abgelegene Lager, Magazine, Geheimkammern und weitläufige, brandgefährdete Speicher. Mißmutig warf der Onkel die Filze von den Schuhen. Würmerfraß, faßte er das Inspektionsergebnis zusammen, Mikroben, Mäusezähne, Säuretod!

Auch die Hilfsbibliothekare schüttelten die Pantoffeln ab.

Vize Storchenbein, ich erwarte Sie zu einer Sitzung!

Der Stiftsbibliothekar entschwand ins Tabularium, und Vize Storchenbein, der eine Pagenfrisur hatte, mit Abstand der jüngste, der dünnste, der längste, der lustigste war und die Bücherarche praktisch im Alleingang auf Kurs hielt, hüpfte ihm auf seinen Stelzen hinterher. Sitzungen mit Vize Storchenbein waren nichts Außergewöhnliches, von Zeit zu Zeit hatte der Onkel die anfallartige Anwandlung, alles anders machen zu müssen, neue Räume wollte er erschließen, die Ausstellung verändern, die Mumie entfernen, den Säuretod besiegen, die Mäuse verjagen, das Katalogsystem perfektionieren, bref: Er nahm sich vor, die Arche hart an den Wind zu legen und einer großartigen Zukunft entgegenzusteuern. Diese Anfälle mußte Vize Storchenbein protokollieren, und natürlich wurde jedes Protokoll in eine Akte geheftet und könnte noch heute, Jahrzehnte nach seiner Abfassung, in der kilometerlangen Schrankwand einer unteren Etage aufgespürt werden. Die Anfälle produzierten Papier, sonst nichts. Die Mumie blieb. Die Mäuse zeugten sich fort. Die Würmer fraßen weiter.

Für gewöhnlich schlich sich Vize Storchenbein nach einer solchen Sitzung mit hängenden Armen in die Schreibstube, um den Hilfsbibliothekaren einen ersten Protokollentwurf in die Stenoblöcke zu diktieren. Katz, hieß es dann, hat wieder einmal zugeschlagen, und man kann sich vorstellen, wie freudig Vize Storchenbein und die zum Tippen verurteilten Hilfsbibliothekare ihre Arbeit erledigt haben.

Heute jedoch, und das war wirklich erstaunlich, verließ der Vize gemeinsam mit dem Onkel die Bibliothek. Offensichtlich gab es etwas zu besprechen, das der Stiftsbibliothekar unter keinen Umständen protokolliert haben wollte. Ich erschrak. Betraf es mich? Betraf es die Hilfsbibliothekare? Würde der Praefectus librorum von Vize Storchenbein verlangen, das Scriptorium härter zu überwachen und mit allen Mitteln dafür zu sorgen, daß die Privatissima im Giftschrank blieben? Fragte sich nur, warum er dieses Zeug gesammelt, erst noch beziffert und katalogisiert hatte. War er so sehr Bibliothekar, dieser Jacobus Katz, so sehr Hüter und Bewahrer, daß er nicht einmal das, was er vergessen wollte, wegschmeißen konnte?

Ich sah ihnen mißtrauisch nach, dem runden Onkel und dem langen, dürren, in seinen Röhrenhosen davonstaksenden Storchenbein. Der Türhüter, der sich eine krumme Verbeugung abgerungen hatte, ließ seinen Chef und den Vize passieren. Dann schob er den Riegel vor, und wenig später hörten wir, wie das Hofportal mit einem fernen, die Treppe hochrollenden Donner zugefallen war.

28

Auch am Abend aß ich bei der Stark in der Küche, der
Onkel kam erst in der Nacht aus dem »Porter«, mußte
am Kragen gepackt und ins Bett gebracht werden, anderntags war er bleich und starrte mich mit blutwäßri-
gen Katzenaugen an. Hatte ihm das Fräulein gesteckt,
daß ich ein guter Mensch werden wollte? Aber warum
sollte er mir diesen Vorsatz verargen? Er hatte sich doch
selbst von einem Katz in einen priesterlichen Geisteskopf
verwandelt, in einen ehrwürdigen Prälaten, in einen
hochangesehenen, von der ganzen Bücherwelt besuchten
Stiftsbibliothekar. Nein, darum ging es nicht, das nahm
mir der Onkel nicht übel, ihn störte etwas anderes. Ihn
störte, daß ich aus den Schublädchen das Geschlecht der
Katzen hervorgeholt hatte. Ja, darum gings. Die Katzen
sollten im Dunkel bleiben, verdeckt und verborgen wie
alles Geschlechtliche, deshalb rang man sich schließlich
zum Geistesmenschen empor – um das Schummrige in
sich selbst zu überwinden. Weg damit, fort mit Schaden.
Aber das war leichter gesagt als getan, denn inzwischen
machten sich die Herren Hilfsbibliothekare einen Spaß
daraus, mir ihr intimes Katzenwissen aufzudrängen. Sie
überraschten mich mit Raritäten, die ich gar nicht bestellt hatte, schnürten Akten auf, fanden zufällig eine
Photographie oder stießen bei Gelegenheit auf ein Brief-
chen. Unter unseresgleichen sei dies üblich, erklärte mir

Vize Storchenbein mit tiefernster Miene, ein Forscher helfe dem andern.

Zwietracht? Vielleicht sage ich besser: Unser Verhältnis kühlte sich ab, denn gar so wichtig war ich nicht für ihn, wichtig und wirklich, sagte der Onkel immer wieder, sei nur das Wort, alles andere war Nunu-Zeug, ohne Bedeutung, blasse Scheinwelt für schlichte Varianten.

Meinte er mich?

Er meinte vor allem das Fräulein, und gerecht fand ich das nicht, überhaupt nicht, ohne sie wäre er verloren gewesen, sie bügelte seine Soutanen, kochte ihm das Essen, staubte die Bücher ab, wienerte den Saalboden, rieb die Säulen glänzig, putzte die Klosetts, und kam ihr Monsignore mitten in der Nacht dahergetorkelt, zog sie ihm das seidene Nachthemd an wie Diener Lampe seinem Vernunftphilosophen den Strumpfgürtel. Erhielt sie je einen Dank dafür? Nein, warum auch, das war Nunu-Zeug, ohne Bedeutung, Schattenleben in der Scheinwelt, wenn er morgens aus dem Bett kroch, hatte er sowieso vergessen, wie er nachts hineingekommen war.

Man sieht: Ich fühlte mich vom Onkel geschnitten, und schon sah ich das Fräulein mit anderen Augen. Sie hatte es verdient, weiß Gott! Ohne sie wäre die Arche längst auf ein Riff gelaufen, das Scriptorium im Trunk verkommen, der Onkel in der Gosse gelandet. Sie, und nicht etwa Vize Storchenbein, hielt die Aufseher bei der Stange, sie ließ es Morgen werden, sie kochte den Kaffee für uns, und abends, wenn die Verschleierte ihre Figuren tanzte, beendete sie unseren Tag. Das Fräulein war die einzige Frau an Bord, und an den Sonntagen, wenn sie ihr Alpendécor, Kordhose und kariertes Hemd, gegen Rock und Bluse vertauschte, gefiel sie mir besser als die meisten unserer Besucherinnen.

Wir hatten eine schwierige Zeit hinter uns, das wußten wir beide. Ich hatte sündig geblickt, und sie hatte mich verpfiffen. Dann war das Linzer Fleischgewitter über mich hereingebrochen, und sie hatte mich mit Nadeln traktiert. Aber nun blieb der Koffer geschlossen, das eklige Geklicke war Vergangenheit, und da ich ihr unter Tränen versprochen hatte, ein guter Mensch werden zu wollen, hatte mich das Fräulein wieder lieb.

Eine Zeitlang ging alles nach Plan, meine Menschwerdung machte Fortschritte, pünktlich wie Kant lag ich in den Pantoffeln, jeder Schuh wurde pflichtgemäß bedient, nie schlummerte ich weg, stets blieb ich höflich, und näherte sich, um mich zu kontrollieren, das Fräulein, machte ich ihr einen wunderbar verkrümmten, rein auf den Schuh fixierten Eindruck.

Statt wie früher mit dem Onkel auf die Orgelempore zu klettern, stellte ich mich nach der Morgenmesse vor die Madonnengrotte, am Samstagnachmittag meldete ich mich ab — gehst wieder beichten, guter Bub? —, und gemeinsam mit der Stark, die ihr Jägerhütchen trug, empfing ich am Sonntag mit weit aufgerissenem Rachen die heilige Kommunion. Ich gab mir Mühe, ich war fromm, ich war brav und also auf dem besten Weg, mein Versprechen zu erfüllen. Was blieb mir anderes übrig? Aus dem Herbst kam mir die künftige Variante meiner selbst, dieser biederbrave Kuttenträger mit den schwarzen Kniestrümpfen, immer entschiedener entgegen, und natürlich gab es nur eine einzige Möglichkeit, von ihm nicht abgemurkst zu werden: Ich mußte ihm zuvorkommen. Ich mußte das, was er aus mir machen wollte, schon vorher sein: einer von uns. Einer wie alle. Das Fräulein sah es mit Wohlgefallen. Das Fräulein spürte: Jetzt hat er sich einen Ruck gegeben, jetzt kämpft er seinen Kampf, jetzt wird er ein anderer, nämlich ein Mensch. Ich fühls, flüsterte sie eines Morgens vor der Madonnengrotte, du schaffst es.

Ich schüttelte kaum merklich den Kopf. Mein Fräulein, sehen Sie nicht, daß ich bete?

29

Bref: Ich verstand es immer besser, sie glauben zu lassen, was sie von mir erwartete, und manchmal glaubte ich sogar selbst, daß es keinen Frömmeren gebe als mich, die grundbrave, kreuzkatholische, kantsittliche Variante. Aber ach, es waren die letzten Tage von Aranjuez, es war mein letzter Sommer, bald würde ich nur noch

Männer sehen, Knaben und Mönche in Schlaf- und Eß- und Studiensälen, dunkel drohte das Kloster am Horizont, in den leeren Gängen wurde es kühler, die Abend- schöne kam früher, die Hochzeitspaare wurden seltener, die Gruppen dünner, die Strümpfe dicker, und kam eine daher, die schon von weitem den Anschein machte, als würde sie vor dieser wie eine Brandungswelle sich auf- werfenden Barockpracht in ein verzücktes Staunen ver- sinken, schlug ich natürlich zu. Il faut profiter de l'occa- sion, hatte der Onkel gesagt. Also nahm ich eine Nase voll, und blieb sie, noch immer in Verzückung, ein Se- kündchen stehen, versuchte ich diskret einen Blick un- ter ihren Rock zu werfen. Kein Problem, Ärger gab es kaum noch, inzwischen arbeitete ich perfekt, was rede ich, Arbeit war es nicht, eher Hingabe, Verehrung, das stumme Gebet eines Knienden, der aus dem Knistern von Unterröcken das Innere der Geheimnisse flüstern hört. Verstand ich es? Wohl kaum, die Gärten blieben verschlossen, ich konnte sie nicht betreten, doch roch ich, ähnlich wie der Fata Morganen erlebende Wüstenvater, den süßen Brodem der Büsche im Sinken der Sonne, glaubte das Plätschern der Brunnen zu hören und das Spiel eines lauen Lüftchens in den Rispen der Palmen… o Gott! der Junge! Elfriede!

Sie steht, sie staunt, und der Besserwisser, ihr Gatte, kann es nicht fassen. Sofort daher, Elfriede, merkste nicht, wo der Nasenzwerch seine Stielaugen hat?!

Ph! Auf Zicken bin ich nicht angewiesen, sollen sie x-beinig zurückweichen oder von ihrem Besserwisser weggezerrt und ausgeschimpft werden, es kümmert mich nicht, es ist mir egal, schließlich brauchte ich nur zu warten, bis eine kam, die mir ihre Geheimnisse darbie-ten würde. Mein Schädel, müde geworden, hing leicht schräg am Boden. Eine freche Lauerstellung, um von un-ten nach oben zu spähen? Nein, um die dritte Nachmit-tagsstunde ist alles am Erschlaffen, am Dösen, am Däm-mern, der Heiland stirbt am Kreuz, der Onkel zieht sich in sein Tabularium zurück, die Stark in die Küche, der Türgreis hat sein Mützengesicht, und ich, der kleine Katz, lege mich schnurrend einer Sommersprossigen zu Füßen, meiner Nachmittagsschönen, einer etwas dick-beinigen, aber – *oh dear!* – freundlichen Engländerin, und wer weiß, wer weiß, vielleicht steigt sie auf mein Ange-bot ein, vielleicht tritt sie über meine leuchtenden Augen, und jetzt! jetzt! jetzt! reiben sich diese britisch prallen, rosaroten, weiß bestrumpften Innenschenkel so leis, so weich aneinander, daß ihr Geknister wie ein Sternen-regen aus dem Zwielicht ihrer Stoffglocke auf mich her-abfällt.

Ist es so?

Bleiben Sie stehen, schöne Englische?

Lichtet sich das Dunkel, lüftet sich das Geheimnis?

30

Dessous de luxe, stand auf dem Titelblatt, Spitzendessous aus Seide (in den Größen klein, mittel, weit), und dieser vornehme, schon leicht vergilbte Katalog war alles, was von der Katz-Zellwegerschen Textilfabrik übrigblieb. Das Gebäude verrottete; die Maschinen wurden bei Nacht und Nebel gestohlen; und schon bald lag hinter dem Kuckuck des Gerichtsvollziehers in den weiten, von schlanken Säulen gestützten Sälen ein Wäldchen, Gebüsch wucherte, Teiche glänzten, es gab Kröten und Tauben. Eines Tages, es muß im Frühjahr 33 gewesen sein, marschierte ein Infanterie-Bataillon auf und gab dem leeren Gebäude den Rest. Angeblich hatten sie den Häuserkampf geübt, auffällig war aber doch, daß nach dem Abzug des Bataillons der Firmenname *Katz-Zell-weger* seinen vorderen Teil verloren hatte. Den eliminier-ten Katz schmerzte dies nicht, im Gegenteil, nun hatte Zellweger, der ursprüngliche Besitzer, die verkohlte Ruine allein zu verantworten. Als man Joseph Katz auch die Villa nahm, rettete er die wichtigsten Stoff-muster, den letzten Katalog, ein paar Spitzendessous und fuhr im Automobil davon. Auf dem Rücksitz saßen eine ehemalige Seidenspinnerin aus dem Appenzellischen und seine Tochter Theres, die damals siebenjährig war und wie stets ein hübsches, fein besticktes Sommerkleid-chen trug.

Sie hatten eine böse Zeit hinter sich. Die Seidenherrin war im Sterben immer fetter geworden, immer
pompöser, der in sie hineinkriechende Tod hatte sie mit
Doppelkinn, Wulstbäuchen, mehreren Brüsten, Finger-
klumpen und teigartig aus dem Schädel aufblähenden
Geschwüren versehen, doch als man schon befürchten
mußte, ihr unentwegtes Wuchern könnte sie auf Wal-
fischgröße anschwellen lassen, ging es mit der Seidenherrin auf einmal in die umgekehrte Richtung: Sie
schrumpfte, sie nahm ab. In den allervornehmsten Dek-
ken, Linnen und Laken aus eigener Produktion allmählich versinkend, nahm sie von Katz, ihrem zweiten
Mann, und den beiden Kindern, die sie ihm geschenkt
hatte, leise leidend Abschied. Eben war sie noch eine
Riesin gewesen, Gebieterin über die Feinspinnerinnen
und all die Schleif-, Wickel-, Spul- und Zwirnmaschi-
nen, und jetzt? Jetzt ragte aus den vielen Seidenkissen nur
noch eine knochenweiße Nase hervor, scharf wie eine
Flosse. Mit einem letzten, kaum hörbaren Seufzer tauchte
sie ab, und Jacobus, der älteste Sohn, und die kleine Theres wußten im selben Augenblick, daß mit der Mutter
auch der Wohlstand verschieden war. Sie hatten ihn nur
noch nach außen behauptet, hinter den Mauern waren
sie längst verarmt, doch nun – das ahnten die beiden
Katzenkinder – würden sie auch die Villa verlieren, die
letzten Teppiche, das Silberbesteck, die Gobelins und die
Fabrik. Mit der Seidenherrin ging eine Welt unter und

vermutlich auch eine Zeit, ein längst überfälliges Jahrhundert.

Das blutjunge, wunderbar reiche Fräulein Singer
hatte seinerzeit den alten Zellweger geheiratet. Für beide
soll es eine gute Partie gewesen sein. Sie gehörte nun
zu den ersten Familien des Kantons, und er war saniert,
jedenfalls gerettet. Ein besserer Geschäftsmann wurde
er durch die Heirat nicht, im Gegenteil, nun trieb es
Zellweger noch wilder, bis er schließlich, in dubiose
Händel verstrickt, in einem Wäldchen bei Warschau von
einem Duellgegner erschossen wurde. Drei Monate später nahm die Witwe den jungen Dr. jur. Joseph Katz,
Sohn eines Schneiders, zum zweiten Mann – so einer,
dachte sie wohl, könnte ihr helfen, das wacklige Unternehmen ein weiteres Mal zu retten. Da kam der Erste
Weltkrieg, es kam die Revolution, und über Nacht waren die adligen Damen mit ihren Seidenblusen und Son-
nenschirmchen verschwunden, füsiliert vertrieben ver-
hungert, und für das grobe Tuch, das jetzt verlangt
wurde, um daraus Notdecken, Uniformen und Solda-
tenmäntel zu nähen, hatte die Katz-Zellwegersche Fabrik weder die richtigen Maschinen noch die geeigne-
ten Webstühle. Joseph Katz ließ nichts unversucht, um
die Textilfabrik zu halten, doch schien er von Anfang
an gewußt zu haben, daß er gegen Windmühlen kämpfte
– die Zeit der feinen Stoffe war passé. Nachdem man
seine Frau begraben hatte, ließ er sich in die Stadt fah-

ren und gab die Fabrik in Konkurs. Auf den Photos, die er von sich und der Kleinen noch immer schießen ließ, sitzt Theres unter einem weißen Seidenschirmchen zu seinen Füßen, und Joseph Katz, der später mein Großvater wurde, bildet mit der linken Augenbraue, als würde er dem Photographen mißtrauen, ein Katzenöhrchen.

31

Ob sie damals noch in der Villa lebten, konnten die Hilfsbibliothekare nicht sagen, auf dem Photo stand kein Datum, allerdings ergab sich daraus, daß Jacobus, der älteste Sohn, zu jener Zeit schon fort war. Wenige Tage nach dem Begräbnis und dem Versiegeln der Fabrik muß er die Berufung zum Priester gefühlt haben, jedenfalls war er Hals über Kopf in ein Seminar geflüchtet, wo sie ihn, wie er begeistert nach Hause schrieb, mit offenen Armen empfangen hätten. Der junge Jacobus war eifrig und gescheit, witzig vor den Menschen, demütig vor Gott, summa cum laude, Dr. phil. und Dr. theol., auch als Prediger begabt, die Rede geschliffen, die Feder spitz, die Karriere begann, schon rief man ihn nach Rom, ließ ihn weiterstudieren, lobte und förderte ihn, doch zeigte sich bald, daß der rundliche Jacobus Katz für den vatikanischen Schmelztiegel, dem in der Regel hagerstrenge

Jesuiten entstiegen, ganz und gar nicht geschaffen war. Sein Eifer erlahmte. Die scholastische Frage, wie viele Engel, da sie doch wesenlos seien, auf einer Nadelspitze Platz hätten, hielt er in einer Zeit, da die fackeltragenden Schwarzhemden immer zahlreicher wurden, für zweitrangig. Den Duce fand er interessanter als den Papst, die Gegenwart erschien ihm wichtiger als die Vergangenheit, bei uns in Rom, schrieb er in einer Broschüre, hat die Zukunft schon begonnen. Offensichtlich begann sie ohne ihn, denn im selben Jahr, da die Broschüre verlegt wurde, tauchte er in Innsbruck auf, wiederum begeistert, in dieser stolzen, vom Atem der Geschichte durchwehten Bergstadt war er der jüngste und beliebteste Dozent. Mit einem Brustband über der Soutane und dem Käppi schräg am Kopf hielt er feurige Reden, schrieb und lehrte und sang, sah sich bereits als Professor, als Kardinal und wissenschaftlich brillierende Kuriengröße. Anno 38 jedoch – es dürfte eine Woche nach Hitlers Einmarsch in Österreich gewesen sein – kam er mit seinen Schnallenschuhen in Buchs über die Grenze in die Schweiz gestolpert und mußte schließlich froh sein, daß er im Scriptorium der Stiftsbibliothek ein Unterkommen fand. Nun saß er mit anderen Hilfsbibliothekaren in einer Reihe, wie ein Galeerensträfling an sein Pult gefesselt, und kratzte mit einer Schreibfeder am Bücherbaum. Gewiß, auch der junge Katz litt unter der sinnlosen Arbeit, aber anders als seine Kollegen, die nachts in die

Kaschemmen und tagsüber in ein trübsinniges Dösen fielen, studierte er die uralten Klosterpläne, entdeckte ver-
borgene Verliese, stieß auf geheime Gänge, und im Früh-
sommer 39 – inzwischen war immer öfter vom Krieg die
Rede – teilte er dem seit Jahren arbeitslosen Vater mit, in
den drei Klosterweihern über der Stadt hätten sie früher
Fische gehalten, wunderbar fette Karpfen für die fleisch-
lose Fastenzeit.

32

Damals waren die drei Weiher versumpft, und der
Damm hatte böse Risse. Das war Dr. Joseph Katz, dem
ehemaligen Textilfabrikanten, gerade recht. Kriege, erklärte er dem Stadtrat von St. Gallen, würden bekannt-
lich im Sommer beginnen, also sei es an der Zeit, die
Klosterweiher als Reservoir für die Kriegs-Feuerwehr
aufzurüsten. Der Stadtrat stimmte zu. Sollten Kathedrale, Bibliothek und Altstadt in Brand geschossen werden, gab es nur *eine* Chance, den kostbaren Bestand zu
retten: das Löschwasser aus den ehemaligen Klosterweihern, die über der Altstadt im Hang lagen. Dr. Katz ver-
pflichtete sich, die künstlich angelegten Becken zu ent-
sumpfen, auch versprach er, den Damm zu flicken und
die Rohre, durch die das Wasser hangabschießen würde,
sobald als möglich zu reinigen. Es war höchste Zeit. Nur

wenige Tage nach der Unterzeichung des Pachtvertrages eilte ein heftiges Läuten über das Land, sprang von Dorf zu Dorf, von Kirchturm zu Kirchturm, ein Sonntags- und ein Totenläuten, der Krieg war da, der Krieg. Die wenigen Badegäste stürzten in die Kabinen. Nur der Bademeister und seine junge Gehilfin, die Magdalena Stark aus dem Appenzellischen, blieben zurück. Er hatte sie seinerzeit als Seidenspinnerin eingestellt, und da sie ihn nach dem Konkurs unter Tränen gebeten hatte, nur ja nicht in den Alpstein zurückgeschickt zu werden – damals muß der buchstabenhassende Vater noch gelebt haben –, war man schließlich übereingekommen, daß sie an Katzens Seite bleiben dürfe. Wie tüchtig sie war, zeigte sich in der Badeanstalt. Aus den Appenzeller Bergen brachte sie allerlei Ideen mit, insbesondere den Kiosk – wo der Mensch sich wohl fühle, so die Stark, wolle er Ansichtskarten schreiben, schwarze Wässerchen trinken und Nußgipfel essen. Katz gab ihr recht, und bald lebten sie von dem Most, den Bratwürsten und jenem Appenzeller Likör, den die Stark während der Sommersaison verkaufte.

Jetzt schraubte sie am Kiosk den Glacé-Wimpel ab, zog den Kahn aus dem Wasser, klappte die Sonnen-schirme ein und trug sie dann, als handle es sich um die ersten Verwundeten, in den Sanitätsschuppen. Wer weiß, sagte das Fräulein, ob wir das Frühjahr noch erleben.

Im Spätsommer 1939, als der Krieg ausbrach, war

Theres, die Tochter des Bademeisters, die beste Schüle-
rin vom jungen Gymnasialprofessor Tasso Birri, und
dieser Birri, ein überzeugter Wandervogel, Klampfen-
spieler und Frontist, hatte auf dem Reichsparteitag zu
Nürnberg den Führer gesehen, seinen göttergleichen
Germanenblick und die beim Hitlergruß zu erkennende
absolut schweißfleckfreie Achselhöhle, worüber er in der
»Ostschweiz« eine ganze Serie von Artikeln schrieb. So
hat es Katz zwar geärgert, aber nicht im mindesten erstaunt, als er eines Nachmittags auf eine Strafarbeit seiner Tochter stieß. Das Heft lag auf der karussellrunden
Holzbank unter dem Nußbaum; ein heißer Wind, der
vermutlich ein Gewitter bringen würde, schlug gerade
die Blätter um. Katz blieb stehen. Heil Hitler! hatte sie
schreiben müssen, Heil Hitler! Heil Hitler! Heil Hitler!
Wie ihm Theres noch am Abend gestand, hatte ihr
ein frecher Spruch gegen die Eroberung von Polen diese
Strafarbeit eingebrockt, und Joseph Katz kam nicht um-
hin, die Torheiten seiner Jüngsten auf die eigene Kappe
zu nehmen. Dieser verfluchte Tümpel! – Er fraß nur
Geld und brachte Probleme, denn leichtsinnigerweise
hatte er ja nicht nur die Pacht , sondern auch die Pflicht
übernommen, möglichst rasch den Damm zu flicken und
die Rohre zu säubern, damit im Ernstfall, der stündlich
erwartet wurde, das Klosterviertel mit Löschwasser aus
dem Weiher vor dem Feueruntergang bewahrt werden
könnte. Die versprochene Säuberung mußten Flücht-

linge besorgen, Juden und Kommunisten, die frühmorgens mit Fuhrwerken herangekarrt wurden, vermutlich aus einem Lager, aber Genaues wußte niemand, war auch besser so, Pst! befahl ein Plakat, Feind hört mit!

Mit ihrer Arbeit mußte Katz zufrieden sein. An langen Seilen krochen die Juden in die Rohre hinab und holten all das Zeug, das sie verstopfte, aus ihnen heraus. Auch hatten sie am Damm die Risse ausgeschottert und nach seinen Anweisungen eine Treppe aus Holzprügeln in die Böschung gelegt. Aber leider war bei der Kolonne einer dabei, der im Blick etwas Schwermütiges hatte, und natürlich war es diesem Kerl geglückt, der dreizehnjährigen Gymnasiastin mit brandgefährlichen Ansichten den Kopf zu verdrehen.

Joseph Katz war ratlos. Einer wie Tasso Birri, der selbsternannte Ortsgruppenleiter, hatte ein gutes Gedächtnis, und waren sie erst einmal einmarschiert, die Deutschen, gab es für das, was Theres ihrem Rohrputzer nachplapperte, eine ganz andere Strafe als das idiotische Vollschmieren von Heftseiten mit dem Hitlergruß. Bald ist es auch bei uns soweit, sagte der Gymnasialprofessor. Dann wird mit eisernem Besen ausgekehrt, und der Jud, dieser Bazillus im Volkskörper, verschwindet als erster.

Was tun? Noch einmal mit dem Stadtrat verhandeln, den Weiher loswerden, von vorn beginnen? Es hat keinen Sinn mehr, sagte Katz. Geben wir auf.

Da zog die Stark, bis über beide Ohren errötend, eine Pfeife aus der Schürzentasche und hängte sie dem Mann in den Mund. Er ließ den Haken hängen, und zwar für länger, und bald war Joseph Katz, früher Textilfabrikant, jetzt Bademeister, später mein Großvater, mit seiner Bergler-Pfeife derart verwachsen, daß er sie nur noch selten aus der Mundnarbe herausnahm.

33

Wäre nur die Nase nicht gewesen! *Meine* Nase. Seitdem ich entschlossen war, mich zu häuten, das Katzenwesen loszuwerden, geschah gerade das Gegenteil, der Stamm der Katzen wehrte sich, übernahm meine Augen, formte mein Gesicht, und sonderbar, bald schnupperte und schnüffelte dieses Riechorgan derart ungeniert, daß ich hie und da glauben mußte, es gehorche nicht mir, sondern den schön bestrumpften Beinen einer Besucherin. Ich gab ihr die Pantoffeln, dies war meine Pflicht, und siehe da, immer wieder geschah ein kleines Wunder: Herabflutende Wärme tunkt den Pantoffelministranten in ihren Duft ein, zwar nur für Sekunden, aber doch lang und tief genug, um aus dem Ministranten einen andern zu machen, einen belohnten Sünder, einen gierigen Düftetrinker. Eine zwiespältige Geschichte! Zum einen war mein Posten über Nacht attraktiv geworden, die

Frauen wurden schön und schöner, und es reizte mich immer öfter, ihnen um die langen Beine zu streichen, zum andern jedoch wurde ich mehr und mehr jener andere, jener Fremde, der ich partout nicht sein wollte, mein Gesicht, vielmehr das, was ich dafür zu halten hatte, glotzte mich aus dem Badezimmerspiegel verständnislos, ja angewidert an. Das Gesicht zeigte mir eine Nase, und diese Nase – man soll es nicht für möglich halten! – rümpfte sich über ihre eigene Vorhandenheit.

Und die nächste kam, und sie stieg in die Filzhauben, und wiewohl ich nach wie vor darunter litt, ausgerechnet mit der Nase nach den Katzen zu schlagen, machte es mir doch einen Höllenspaß, das scharfe Ding möglichst nah an ihr leicht angezogenes Knie zu halten und mit geblähten Nüstern hereinzuholen, was deutsche Studienrätinnen und weizenblonde Primarlehrerinnen aus Bern-Bümpliz über mich herabwehen ließen, mal wurstwürzig nach Braten, mal weihnachtlich nach Zimt duftend, mal nach Nivea-Crème, Fisch und unbekannten, heiß ersehnten Fernen. Was für ein Leben! Auf meinem Pantoffelhaufen flog ich von Duftwolke zu Duftwolke, von Frau zu Frau, von Rock zu Rock, die nächste bitte, die nächste, die nächste!

Iii, schreit sie, igitt, was blitzt da unten?!

Die Hochtoupierte! Mit geweiteten Augen sieht sie auf mich herab, starr vor Schrecken.

Ich lasse das Spiegelchen in der Innenhand verschwinden, aber zu spät: Iii, schreit sie wie am Spieß, iii, das ist ja ein *Spiiiegel!*

Madame, versuche ich die Situation zu retten, die Pantoffeln sind Vorschrift.

Vorschrift!, höhnt sie, Vorschrift, das Ferkel kommt mir mit Vorschrift, na warte, du wirst mich kennenlernen!, haut beide Gummischuhe in die Filzhauben hinein und rutscht mit der Drohung, ich würde gleich von ihr hören, im Sturmschleifschritt der Gruppenführerin in den Saal hinaus.

Zugegeben, es ist nicht gerade fein, mit einem Handspiegelchen zu arbeiten, doch schien mir dies das einzige Mittel zu sein, um meiner Faszination auf den Grund zu kommen. Was für eine Verbindung bestand zwischen mir und dem andern Geschlecht? Was reizte mich an ihrer Unterwäsche? Oh, ich mußte es wissen, jung sein, hatte der Onkel erst kürzlich doziert, heiße Erfahrungen suchen, also suchte ich und gab mir nach Kräften Mühe, Licht ins Dunkel meiner Geheimnisse zu bringen.

Ich sah in den Saal hinaus.

Noch war die Gruppenführerin unschlüssig.

Bittesehr, versuchen Sies doch bei einem Aufseher, rutschen Sie auf einen dieser Herren zu! Ich glaube kaum, daß er bereit sein dürfte, so etwas wie eine Verzeigung entgegenzunehmen, denn ein Aufseher, müssen Sie wissen, hat eine hohe, ja hochnäsige Meinung von sich und fühlt sich über alles Niedere erhaben. Würden Sie einem dieser Herren erklären wollen, man hätte Ihnen ein Handspiegelchen zwischen die Gummischuhe geschoben, würden sie das in ähnlicher Weise als Zumutung empfinden wie die unerhörte, ihnen immer wieder gestellte Frage, wo denn bittesehr die Toiletten seien. Aufseher, hatte mir der Onkel erklärt, würden sich im Gang des ewig gleichen Tages mit den Bildern und Gegenständen, die sie bewachen sollten, mehr und mehr verwechseln. So blickten sie als sterbende Cäcilia, als chinesische Weisheit oder als ein in Elfenbein geschnitzter Bibeleinband auf das gelangweilt oder besserwisserisch an ihnen vorüberschlarpende Gewusel und konnten beim besten Willen nicht nachvollziehen, warum ganze Besucherströme angesichts der heiligsten Kulturgüter des Abendlandes nur eine einzige Frage kennen, nämlich die, wo die Toiletten seien. Haben Sie begriffen, Gruppenführerin? Sie wenden sich nicht an einen Aufseher, sondern an die sterbende Cäcilia, und seien Sie versichert, Ihre Beschwerde würde am paradiesesnahen Leidenslächeln der grausam gequälten Märtyrerin gnadenlos abprallen!

Bleiben die Hilfsbibliothekare. Die wären gewiß bereit, sich auf die Sache einzulassen, das schon, ja, so was leicht Schlüpfriges gefällt unseren Maschinisten, aber höchstens zum eigenen Gaudium, denn wer selbst unter der Stark zu leiden hat, wird sich hüten, einen andern ihrer Frömmigkeit auszuliefern. Die beiden Türgreise? Nur zu! Erstatten Sie Meldung! Sagen Sie dem Riegel‑ zieher oder dem Garderobier, was Ihnen beim Pantoffel‑ fassen passiert ist. Allerdings sind ihre ausgedörrten Oh‑ ren vollkommen taub, da wäre es wohl das beste, Sie würden Ihre Beschwerde den beiden Alten in den Hin‑ tern schreien.

Als ich noch einmal in den Saal zu sehen wagte, hatte sie die Richtige bereits gefunden. Die Stark stand stramm, und die Gruppenführerin, den Zeigefinger im‑ mer wieder zum Portal stoßend, schien ihr erregt flü‑ sternd zu rapportieren, vor der Schwelle zum Allerhei‑ ligsten werde man – gespiegelt!

Gespiegelt?

Von unten!

Aber das ist ja –

Die Höhe!

Pech gehabt. Auch die Stark drehte jetzt den Kopf, beide Frauen und sämtliche Aufseher blickten vorwurfs‑ voll in meine Richtung, auf den schrecklichen Nasen‑ katz, der den Ruf der weltberühmten Stiftsbibliothek in den Dreck gezogen hatte. Ihre Blicke schossen wie Pfeil‑ bündel auf mich zu, und ich konnte förmlich spüren, wie sich die Herren Aufseher, die aus ihren Bildern und Büchern herausgetreten waren, vor Abscheu und Ekel wanden. Ecce nepos, werden sie sich gesagt haben, er kann aus seinem Fell nicht heraus!

Von ihren Blickpfeilen durchbohrt, drückte ich mich mit letzter Kraft um die Säule, hockte mich hin, griff zum Buch. Die Zeilen schwammen, die Wörter lösten sich auf, ich wußte nur allzugut, was nun folgen würde. Der reuige Sünder, von der eigenen Nase herumgeführt, war rückfällig geworden. Klare Sache, auf das Handspiegelchen würde sie reagieren müssen, und ich verrate es schon jetzt: Sie *hat* reagiert, allerdings einfallslos, eher schäbig – sie informierte den Onkel.

34

Wie gesagt: zwiespältig war die Nase. Vor dem Spiegel haßte ich sie, lag ich aber in den Pantoffeln, genoß ich es, auf ihren Flügeln von Duftwolke zu Duftwolke zu schweben, von einer Schönheit zur andern, mal ein Bändelchen erhaschend, mal eine scharf nach oben strebende Naht, mal schlanke Schenkel, mal dicke, violette Krampfadern und leichenweißes Hängefleisch von donnernd herangestampften Pfosten, riesigen Pfosten, in den oberen Regionen von Verbänden umwickelt, eingepackt in einen gummigen Stützstrumpf. Glücklich sah ich golden beflaumte Waden, neckische Söcklein, pfiffige Röcklein und immer wieder diesen wunderbar schwarzen Seidenstrumpf, der das schlanke Frauenbein so zart mit Nacht schraffiert, daß etwas Weißhäutiges gerade noch

durchschimmert und ganz oben, im abgründigen Dunkel der zart knisternden Stoffglocke, die Schneehaut er-
ahnen läßt, das heilig Weiße ob der Strumpfgrenze.

Ohne Nase keine Flügel, sagte ich mir. Und schaffte
es allmählich, mich im Badezimmer geduldig zu betrachten. Id est, die beiden Gesichter, das im Spiegel und
meines, begannen sich aneinander zu gewöhnen – sie
lernten es, sich ruhig in die Augen zu sehen. Die Be-
fürchtung, es könnte sich auch bei mir, wie beim Onkel,
eine Rundglatze bilden, stellte sich glücklicherweise als
falsch heraus – mein Hinterkopf blieb normal behaart.
Wie ich das gesehen hatte? Mit dem Handspiegelchen,
womit denn sonst, und ohne mich besser machen zu wollen, als ich damals war, möchte ich doch erwähnen, daß
ich es aus dem Necessaire des Fräuleins in der lauteren
Absicht stibitzt hatte, meinen Hinterkopf zu mustern.
Ja, die Absicht war lauter, ich schwöre es, muß aber
gleich hinzufügen: Das kleine Ding hatte es in sich! Als
ich es hinter mir hochstreckte und eben dabei war, den
Hand- mit dem Wandspiegel in eine gegenseitige Spie-
gelung zu justieren, mußte ich verwundert feststellen,
wie perfekt sich das Spiegelchen in die Innenhand
schmiegte. Bref: Bei einer Hinterkopfbetrachtung im
mitternächtlichen Badezimmer war ich an ein Instru-
ment geraten, das von sich aus signalisierte, es könnte mir
helfen, unter die Röcke und hinter das Geheimnis zu
kommen, das sie so schön, so aufreizend verhüllten.

Aber bleiben wir bei der Nase, genauer: beim Zwie-spalt.

Seit ich schärfer riechen konnte, konnte ich schärfer denken, nur war leider auch dies eine zwiespältige Sache.

Ich dachte also.

Hinter der Nase dachte es weiter.

Und sei's, daß mich die strengen Blicke des Fräuleins verstörten, sei's, daß ich mich vor einem Donnerwetter des Onkels fürchtete – ich wurde stiller. Aus unbeant-worteten Fragen und nagenden Zweifeln brütete sich et-was zusammen und wurde größer und verhockte im In-wendigen wie ein übler Geruch in der Schwüle. Das war nicht zu greifen, nicht zu verscheuchen, es bedrückte mich, drückte mich nieder, und bald war ich überzeugt, nicht nur nicht weiterzuwachsen, sondern kleiner zu wer-den, breiter, runder. Was war denn los mit diesen ver-dammten Katzen, dachte ich immer wieder, warum hat-ten sie nach dem Sumpftod der Mutter die Kinder mit Weihwasser abgespritzt, warum hatten sie sie davongetra-gen und im graudüsteren Uznach ins Waisenhaus gewor-fen? Was hatte Joseph, der Älteste, dem Uznacher Pfar-rer versprechen müssen, um vier von den sechs Katzen zurückzubekommen, und was war mit jenen passiert, die für immer verschwunden blieben? Blieben sie wirk-lich verschwunden? Oder sind sie irgendwann zurück-gekehrt? Und warum hatte es der frisch mit Zellwegers Witwe, einer geborenen Singer, verheiratete Dr. jur. Joseph Katz für klüger gehalten, seinen Namen nicht auf das Dach und in den Himmel zu schreiben? Warum hatten sie diesen Namen später weggeschossen, nicht aber den von Zellweger, und warum hatte sich der Sohn des Joseph, nämlich Jacobus, mein späterer Onkel, nach dem Untergang der Seidenfabrik Hals über Kopf in ein Priesterseminar geflüchtet? War im Katzengeschlecht etwas verborgen, das ihm Feinde bescherte, natürliche Feinde, nahe Feinde, freundliche Feinde, hündisch ergebene, und könnte es sein, fragte ich mich zunehmend gequälter, noch kleiner, noch runder werdend, daß zu diesen Katzenfeinden auch das Rudel der Hilfsbibliothekare gehörte? Fütterten sie mich mit geheimen Papieren, um mich vor dem Onkel und seiner Herkunft zu warnen? Wollten sie mich, ähnlich wie die Altherren, auf ihre Seite ziehen: Gelt, du bist einer von uns!? Aber warum? Was hatten sie davon? So viele Fragen, keine Antwort und schließlich ein böser, wie ein Blutstropfen in ein reines Wasserglas fallender Verdacht: Handelten die feigen Schnapstrinker auf Befehl? Steckte das Fräulein und nicht, wie ich ursprünglich vermutet hatte, der lustige Vize Storchenbein dahinter? Gut, zugegeben, ich hatte wieder gegen das Sechste verstoßen, ich war rückfällig geworden, ich hatte zu diesem verdammten Spiegelchen gegriffen, aber gab das dem Fräulein das Recht, mich zur Strafe in Zweifel und Ängste hineinzudrängen, die mich verfolgten wie hechelnde Hunde?

35

Jene Zeit lag weit zurück, ich war noch ein Kind, konnte weder lesen noch schreiben und hockte, wenn ich beim Onkel in den Ferien war, fast den ganzen Tag bei der Mumie im hintersten Teil der unendlich großen Bücherkirche. Ich stellte mir vor, an ihrer Stelle im gläsernen Schrein zu liegen, ohne Lippen, mit ledriger Haut, von den Leuten beglotzt, und ich meine mich zu erinnern, daß mir an diesen endlosen Nachmittagen meiner frühen Kindheit nur etwas Spaß machte: eine Fliege, die die Seitenwände des Schreins bekroch, mit meinem Patschhändchen totzuklatschen. Ja, endlos waren jene Nachmittage, endlos und trostlos, voller Heimweh nach Mama, die schon damals ein Brüderchen auszubrüten versuchte, natürlich vergeblich, was herauskommt, sagte mir eines Abends nach dem Nachtgebet das Fräulein, kann nicht getauft werden, es kommt in den Schweinekübel und dann in den Limbus, den Ort für das ungetaufte Fleisch.

Der Onkel beschäftigte sich kaum mit mir, für ihn war ich ein Dreikäsehoch, seiner Worte nicht würdig, ich aß in der Küche, und ertönte drüben die Klingel, unter dem Eßzimmertisch vom Schnallenschuh gedrückt, ging es mir wie dem Fräulein: Beide erschraken wir ein wenig.

Hie und da erzählte sie mir von den harten Wintern in den Bergen, und da sie selber am Heimweh litt, spürte sie natürlich, daß ich auf der Bücherarche eine lange, eine quälend lange Zeit hatte. Schließlich hielten wir es beide nicht mehr aus, das Fräulein winkte mich nah an ihr Schnäuzchen heran und sagte leise: Wollen wir eine Reise machen?

Ins Appenzellische, fragte ich begeistert, worauf sie nickte: Ja, sagte das Fräulein, ins Appenzellische, in meine Heimat, in die Berge.

Diese Ausflüge gehören zu meinen frühen und schönsten Erinnerungen, und noch heute habe ich das Fräulein genau vor Augen, wie sie am verabredeten Montag, da die Bibliothek geschlossen war, im Wanderkostüm meine Kammer betrat, das Jägerhütchen keck vor dem Haarknoten: Auf, Bub, es geht in die Berge!

Während der Onkel noch schlief, traten wir aus dem nächtig kühlen Treppenhaus in den aufdämmernden Tag hinaus, in ein eben erwachendes Vogelgezwitscher, gingen durch menschenleere Straßen zum Bahnhof und verließen, beide mit gierigen Augen die vorbeisausenden Häuser bestaunend, mit dem ersten Kurs des roten Appenzeller Bähnchens die Stadt. Kaum hatten wir die Talsenke verlassen, zackte unter der Lokomotive das Zahnrad ein, der Hang wurde steiler, und im Morgendunst versank das alte Kloster samt Onkel und Kathedrale und Bibliothek. Über Wiesen ging es höher, an läutendem Vieh vorbei, es wurde sonnig, aber wärmer wurde es nicht. Brunnadern, wo auch im Sommer eine kellerfeuchte, winternahe Kühle herrschte, war die Endstation.

Man kletterte fröstelnd aus dem Waggon, fürchtete sich vor den hochaufragenden, graunassen Wänden, das Fräulein jedoch, kaum war sie leichtfüßig auf ihrem Boden gelandet, stieß, den Kopf in den Nacken werfend, einen derart jähen, schönschaurigen Juchzer aus, daß sie das Echo von allen Seiten in ihrer Heimat willkommen hieß. Noch auf dem Perron, der letzten flachen Strecke, nahm sie mich an die Hand, beide bückten wir uns in den Bergschritt, dann ging es durch die schluchtigen, von kalten Bächen durchsprudelten Täler langsam, aber stetig bergauf. Was siehst du dort oben?

Ein angeschriebenes Haus.

Recte dicis, lobte sie.

Ich hatte schon als Kind gemerkt, daß es dem Fräulein ein gewisses Vergnügen bereitete, mich auf die Wirtshausschilder hinzuweisen. Hier, in ihrer Heimat, konnte sie alles verstehen, sogar die Buchstaben.

Wenn ich mit dem Onkel behaupte, das innere Appenzell sei damals, Mitte der fünfziger Jahre des letzten Jahrhunderts, der fernste aller Planeten gewesen, eine abgeschlossene, zwischen hohen Felsen in die Stille versenkte Welt, übertreibe ich nicht. Kaum von Radiowellen, geschweige von Fernsehbildern berührt, konnte sich der inzüchtig verkuppelte Stamm, der hier seit Gletscherzeiten entweder melkend unter dem Vieh oder in niederen Gaststuben hockte, alle Eigenarten und Sonderlichkeiten bewahren und ungerührt weitertreiben, was

man von den Ahnen übernommen hatte. Die einen hießen Broger, Manser die andern, und ein paar wenige,
die ob der Baumgrenze siedelten, hießen Stark. Viel zu
tun hatten sie nicht, denn die runden Käslaiber und die
Schweine, von denen sie lebten, reiften von selbst, weshalb sie ihre Tage in angeschriebenen Häusern verdäm-
merten, meist stumm, gottesfürchtig, schicksalsergeben,
wendisch, sagten sie, sei das Wetter, nicht der Appenzeller. Nein, es ist keine Übertreibung, sondern die pur-
lautere Wahrheit: Jeder Hügel, jede Höhe, jeder Gipfel
trug ein angeschriebenes Haus, und da alle zum aller-
höchsten Gipfel blickten, zum Säntis hinauf, der sich wie
eine fein verschneite Kathedrale aus dem Dunst erhob,
hießen sie samt und sonders »Säntisblick«.

An angeschriebenen Häusern soll man nicht vorbei-
gehen, pflegte das Fräulein zu sagen, also traten wir ein,
setzten uns an den Tisch und tranken dann, von den
Knopfaugen der Dahocker unentwegt angestarrt, unsere
schwarzen Wasser, die Stark einen Likör und ich eine
Vivi-Kola. Nie wurden wir von einem Wirt begrüßt, nie
verabschiedet, und hatten wir einen »Säntisblick« verlassen, um nach längerem Marsch durch die kalt und
feuchter werdende Schlucht den nächsten »Säntisblick«
zu erreichen, hatte ich jedesmal das Gefühl, wieder am
Ausgangsort, nämlich im unteren »Säntisblick«, ange-
langt zu sein.

Eine vertrackte Geschichte! Auf jeder Anhöhe er-

wartete uns dieselbe Gastwirtschaft, nämlich der »Säntisblick«, und in diesem »Säntisblick«, wie in jedem
»Säntisblick«, schwammen die gleichen Augenpaare im
bläulichen Rauch und schienen sich immer wieder von
neuem dafür zu interessieren, wie die Stark und ich unsere schwarzen Wasser tranken, sie einen weiteren Likör
und ich eine Vivi-Kola. Bref: Wir stiegen höher, kamen
aber nicht vom Fleck, nur in den nächsten »Säntisblick«,
wo es stets die gleichen Augenknöpfe gab, die gleichen
Augenknöpfe und die gleichen, wie aus Narben hängenden Pfeifen. Die Stark jedoch, als würde sie von der
Appenzeller Dieselbigkeit zum Gegenteil angestachelt,
wurde von »Säntisblick« zu »Säntisblick« fröhlicher,
und zwar derart, daß das Fräulein im ersten »Säntisblick« und das Fräulein im letzten zwei völlig verschiedene Personen waren, schweigend die eine, überspru-
delnd die andere, wobei diese andere, die ich natürlich
lieber mochte, die Runden auch dann ausgab, wenn
keine Männerhand den Pfeifenhaken aus der Mundnarbe
herausnahm und sich für den Schnaps beim Fräulein be-
dankte. Nunu, rief sie dann, Nepos, bibiamus! Komm,
Neffe, zwitschern wir noch einen!

An einem Herbstnachmittag – ich war etwa sechs
oder sieben Jahre alt und seit gut zwei Wochen beim
Onkel in den Ferien – gingen wir wieder einmal von
»Säntisblick« zu »Säntisblick«. Als sie ihren sechsten
oder siebten Likör intus hatte, wollte sie eigentlich um-

kehren, entschloß sich dann aber, vor dem Einnachten noch eine Stufe höher zu steigen. Dort oben, meinte sie kichernd, könnte sie eventuell einen Bekannten treffen, Broger sein Name, wir kraxelten los, der Weg wurde steil, der Abgrund tief. Wo sollte hier oben ein Broger wohnen? Über naßglatte Steine krochen wir weiter, höher und höher hinauf, es wurde dunkler, es wurde kälter, Nebelschwaden wallten da wandauf, dort in die Tiefe, wo sie zwischen wetterzerfetzten Tannen wie in einem Staurechen abgingen. Eine alte, appenzellerisch äugende Bergdohle war weiter unten zurückgeblieben, auch der Himmel blieb zurück, soff mit dem Nebel ab, verstrudelte im Rechen —

und dann, plötzlich, geschiehts. Mit einem augenbetäubenden Glanz spannt sich hoch über uns ein neuer Himmel auf, unendlich weit und unendlich blau, es glänzen die Firne, es leuchten die Schneefelder, und: Schau, Bub, jubelt die Stark, dort ist der Gipfel, dort hockt der Broger!

Sie täuschte sich nicht. Auf einem Felsenturm, den unser Weg wie über die Zacken eines Riesendrachenhalses erreichte, prangte in frohbunten Farben eine Bretterbude. Sie lachte, die Stark, ich winkte, und mit frischen Kräften machten wir uns an den letzten, nicht ungefährlichen Stieg.

Wurde unser Herankommen durch den Feldstecher beobachtet? Tatsächlich, aus dem einzigen Fenster blitzte etwas heraus, aber das war, mußten wir auf den letzten Metern bemerken, nicht etwa ein Fernglas, das etwas Fernes in die Nähe holt, nein, das war wieder dieses Äugen, das jede Nähe in die Ferne rückt – ein Appenzeller, der sich in nichts von den anderen Appenzellern unterschied, sah uns mißtrauisch entgegen. Kein Gruß, nicht einmal ein Laut. Das Männchen hockte in einer Art Kiosk, sein Pfeifenkopf hing am Metzgerhaken, und erst, nachdem das japsend keuchende Fräulein einen Fünfliber auf die Lade gelegt hatte, kam eine Hand hervorgeschlüpft, wurde über der Münze zur Kralle und zog sich dann, scheu wie ein Murmeltier, in die Höhle zurück.

Ist er das?, fragte ich leise.

Ja, stieß sie hervor, das sei der Broger.

Da packten wir uns an den Händen, aber so fest wir auch drückten, unser Lachen konnten wir nicht mehr verhindern. Der Broger, der Broger!

Der Gipfel-Appenzeller reagierte mit keinem Mucks, schweigend hockte er hinter seiner Lade, schweigend und immerzu äugend, weshalb es dem Fräulein bald einmal zu bunt wurde und wir uns auf eine abgeschliffene Steinstufe unter das Gipfelkreuz setzten. Sie trug eine Windjacke, ich die Pelerine, noch schien die Sonne, der Felsen strahlte Wärme ab, und so genossen wir es, ruhig und immer ruhiger atmend, den unendlichen Himmel wie einen Ozean zu überblicken. Ein paar verschneite Inseln lagen darin, das waren die höchsten Gipfel des

Alpsteins, aber sonst gab es nichts im weiten Himmel, nur das Fräulein, mich und kreisende Dohlen über dem schwarzklobigen Kreuz.

Es ist unsere Heimat, sagte sie leise.

36

Ein seltsamer Gedanke, zugegeben, eigentlich eine ver-kehrte Welt, der Stiftsbibliothekar verschloß die Papiere, die die Geschichte der Katzen enthielten, im Giftschrank, während die Stark dafür sorgte, daß sie mir Stück für Stück in die Finger gespielt wurden! War es so? Ging sie tatsächlich davon aus, daß mir die Medizin aus dem Gift-schrank das katzische Schnuppern und Äugen schon aus-brennen würde? Hoffte sie, die Schauergeschichte vom Ende der Seidenfabrik, das sie ja miterlebt hatte, würde mich auf die richtige Bahn lenken, weg vom verwun-schenen Geschlecht, hin zu all den Guten Braven Rei-nen, die weder schnuppern noch blicken noch sonst et-was tun, das sie und die Muttergottes im tiefsten verletzte?

Ich denke darüber nach, wie ich damals darüber nachzudenken versuchte, und stolpere wieder, wie da-mals, in dieses Dunkel hinein, das so groß ist, daß man sich gar nicht vorstellen kann, es im eigenen Schädel zu haben. Was der Onkel eine schlichte Variante nannte, war in Wahrheit der personifizierte Zwiespalt. Ausgerechnet sie, die weder lesen noch schreiben konnte, beherrschte eine der schönsten Bibliotheken des Abendlandes, und es war ihr zuzutrauen, daß sie aus dem Hintergrund meine Lektüre organisierte oder zumindest mit ein paar Stücken ergänzen ließ. Denn das Fräulein war schlau, lebenstüchtiger als der Onkel, und wiewohl sie ihre Furcht vor dem Sechsten ins Riesenhafte gesteigert hatte, wiewohl sie marienfromm und fürchterlich katechismusgläubig war, hatte ihre Strenge eine wolkenweiche, liebreizende Rückseite. Nur: Die wollte sie nicht mehr hervorkehren. Seit der Sache mit dem Handspiegelchen herrschte Krieg zwischen uns, ich war unverbesserlich ein Katz, und sie war kruppstahlhart ein Strafengel, der es gerade mal duldete, daß ich morgens in die Küche schlich, um meine Milch zu trinken. Hatte sie mich endgültig aufgegeben? Gab es für einen wie mich, dem das Katzische aus dem Gesicht sprang, weder Barmherzigkeit noch Erlösung?

Der Onkel wußte inzwischen Bescheid, und das Strafgericht, deutete ihre Miene an, würde schrecklich sein, im schlimmsten Fall ein glatter Rausschmiß, im mindesten aber die Versetzung ins Scriptorium. Ich konnte weder schlafen noch essen, und dann –

Fehlanzeige!

Ich hatte vergessen, daß der ehrwürdige Stiftsbibliothekar eben doch mein avunculus war, der Bruder von Mama, und offenbar geneigt, pro nepote ein Auge zuzudrücken. Er lag auf dem Diwan in den Seidenkissen und fragte: Du spekulierst neuerdings?

Ich stellte den Finger auf meine Zeile, blickte auf.

Nunu, erklärte er, lateinisch speculor heißt auf deutsch: ich spähe, ich beobachte. Auch ist speculor mit speculum verwandt, und das heißt – na?

Tut mir leid.

Spiegel, versetzte er.

Ah ja?

Er nickte. Speculum heißt Spiegel.

Interessant, bemerkte ich.

Lassen wir das, versetzte der Onkel mit einem güti-gen Grinsen, lassen wir das Spekulieren, lieber Nepos! –

37

und damit bin ich beim Stiftsbibliothekar, und wenn ich vorher vom Zwiespalt im Fräulein gesprochen habe, dann fehlen mir jetzt die Worte, um das Rätsel, zu dem sich dieser Mann im Lauf des Sommers für mich ent-wickelt hat, auch nur andeutungsweise zu benennen. Was meinte er mit seinem: Lassen wir das, lassen wir das Spekulieren? Wollte er damit sagen, daß ihm meine Kat-zensuche auf die Nerven ging?

Aber warum ließ er dann zu, daß ich weiterhin mit interessanten, als Privatissima gekennzeichneten Papieren bedient wurde? Er war doch der praefectus librorum, ein deutliches Wort von ihm, und keiner aus dem Rudel der Hilfsbibliothekare getraute sich noch, aus der Tiefe verschnürte Akten heraufzuholen, persönliche Briefe und Photos, die immer wieder meinen Großvater zeigten, den gescheiterten Seidenfabrikanten und Bademeister unter seinem Sonnenschirm am Weiherrand.

Und war sein Tadel nicht erstaunlich mild ausgefallen, fast zärtlich, gerade so, als amüsiere es den Onkel, daß vor dem Portal ein kleiner Katz heranwuchs, ihm ähnlicher von Woche zu Woche, von Tag zu Tag? Aber wie konnte ihn *meine* Katzenhaftigkeit amüsieren, da er doch alles unternahm, um *seine* zu verleugnen? Fragen über Fragen, doch war es aussichtslos, meinem Onkel Katz, der bodenlange Nachthemden trug und sich unter Soutanen, Meßgewändern, dem weißen Kittel des Wissenschaftlers und erst noch unter einem leichenweißen Fettpolster verbarg, auf die Schliche zu kommen. Er lebte für die Bücher, rein und ausschließlich für die Wörter, alles andere war unwichtig, unwirklich wie eine Schweinsbratwurst, Nunu-Zeug, nicht von Belang. Über dergleichen war der Geisteskopf erhaben, das war nicht seine Sache, Sachen waren überhaupt nicht seine Sache, Nomina ante res, lautete die Devise, wichtiger Begriff, grundlegende Erkenntnis, was zur Ding- und Fleischeswelt gehörte, meinte er abschätzig, würde irgendwo da unten im Unwirklichen verblassen. Glücklicherweise galt dies auch für das Spiegelchen. Der Onkel hatte mich ein paar Tage lang geschnitten, aus welchen Gründen auch immer, vielleicht soff er zuviel und konnte es, verkatert, wie er war, nur schwer ertragen, daß ein verwandter Katz den Schweif unter seinen Tisch hängen ließ. An diesem Abend jedoch, da er mich abstrafen sollte, nahm er mich wieder zur Kenntnis, grinste sogar, und was sich die Stark als reinigendes Gewitter gewünscht haben mag, als Blitz, Donner und Bannstrahl, kam wie ein laues, mich erquickendes Lüftchen daher. Spekulieren sei mit speculum verwandt, bemerkte der Onkel salbungsvoll, das möge ich in Zukunft unterlassen.

Damit war unser altes, nunufröhliches Verhältnis wiederhergestellt, ihm schien es offenbar schnuppe zu sein, daß ich eben doch ein kleiner Katz war, zumindest ein Halbkatz, und den Nachmittagsschönen mit schiefen Augen um die sommersprossigen Beine strich. Aber wie beim Wetterhäuschen, wo das Auftauchen der einen Figur das Verschwinden der andern nach sich zieht, hatte die ausbleibende Bestrafung zur Folge, daß sich die Stark vor dem Onkel und mir verdrückte. Wenn ich vom Ministrieren in die Küche kam, stand auf dem Tisch die Milch bereit, daneben lag ein Brot, dünn mit Butter bestrichen, ohne Konfitüre, das Fräulein war sauer, und sie blieb sauer, vermutlich für immer. Was für ein Pfuhl, mag sie gedacht haben, was für ein Katzennest! Statt mich in den

Maschinensaal zu verbannen, ließ mich der Onkel weiterhin in den Pantoffeln, und wieder einmal, bereits zum
dritten Mal, war sie, die Gerechte, die Düpierte.

Indes glitt die Bücherarche, von Vize Storchenbein
pilotiert, mit all ihren Sälen, Decks und Frachträumen
in den September hinüber, in dunstige Vormittage hinein, die mich hie und da ein wenig frösteln ließen, der
hohe Sommer war vorbei, der Zenit durchfahren, die
Klosterschule kam näher, ein betürmter Horst auf nebel-
umfluteter Klippe, von schwarzen Vögeln umflattert,
ewig vereist, ewig verwintert – bref, liebe Besucherin,
meine Zeit in der Bibliothek läuft ab, und so darf ich Sie
jetzt höflich bitten, den Blick noch einmal nach unten zu
richten, auf den armen, verkrümmten Pantoffelministranten an der Schwelle zum Barocksaal.

38

Ja, meine Verehrte, auch da handelt es sich um einen
Zwiespalt, was sage ich, in diesem Fall ist es eine richtige
Spaltung – nicht mit *einem* haben Sie es zu tun, sondern
mit *zweien,* und verschiedener könnten die beiden nicht
sein. Weder Brüder noch verwandt, schlimmer: Zwei
Varianten *einer* Person, meiner Person. Variante eins, nämlich der Nasenzwerg zu Ihren Füßen, wurde in den letzten Wochen zunehmend frecher, auch raffinierter, wäh-

rend Variante zwei, die aus der Zukunft kommt, immer deutlicher ein Kutten- und Zöglingsgesicht präsentiert, unerbittlich und streng, folgsam und fanatisch. Variante zwei kommt mit stürmischen Sandalenschritten, mit wehender Kutte von jenem Felsenhorst herabgeeilt und macht schon von weitem klar, daß man als Zögling nicht mit sich spaßen lasse. Ob das heiße, fragt die Eins eher zaghaft, daß sie dort oben, in der Klosterburg, Katzen- visagen nicht besonders mögen würden, worauf der Kut- terich ein kräftiges: Allerdings! ruft, allerdings, du Pfeife, wer mag schon Katzenvisagen, wir jedenfalls nicht!

Dieses Kutten- und Zöglingsgesicht trug in meiner Vorstellung eine Brille, ein altmodisches Gestell mit run- den Gläsern, womit es ziemlich genau einer Photogra- phie entsprach, die den jungen Onkel als Seminaristen zeigte: um den Bauch ein Zingulum, um den Mund ein Lächeln und die Augen hinter dicken Rillen wie unter Eis verborgen. So hatte der Seminarist, der nur in den Sommerferien in die Badeanstalt zu Besuch kam, unter dem sonnenbewohnten Nußbaum gesessen, neben sich auf der karussellrunden Bank ein paar Bücher, einige aufgeschlagen, andere geschlossen. Sollte die Brille die Katzennase zum Verschwinden bringen? Oder sahen die Augen der Katzen nur im Dunkeln richtig gut, weshalb sie bei Tag eine Brille tragen mußten, eine dick gerillte mein Onkel, eine schwarze Sonnenbrille der Großvater?

Ich habe es gesagt: Der Onkel liebte es, nach dem

Nachtessen wie ein Scheich auf dem Diwan zu liegen und in jene Paläste einzusteigen, die ein wahnsinniger Wüstenvater in den Sand gewundert hatte. Ihn fasziniere, hatte er eines Abends erklärt, der fromme Wahnsinn, und siehe da: Der künftige Klosterschüler hatte ähnliche Interessen! Auch er, der mit jedem Tag etwas größer wurde, suchte sich aus den Schublädchen des Katalogsaals am liebsten Texte heraus, die vom Wahnsinn der Frommen erzählten. Um dem Onkel zu gefallen? Auch, ja, gewiß, der Kerl schleimte und schmeichelte für sein Leben gern, aber sein Hauptmotiv war dies nicht, er war ja erst im Kommen, hatte noch viel zu lernen und wollte aus der einschlägigen Literatur erfahren, wie er vorgehen müsse, um den kleinen Katz endgültig aus mir vertreiben zu können. Keine leichte Sache, ein richtiger kleiner Mord! Das will bedacht und geplant werden, versteht sich, und so bestellte der fleißige Frömmler unter anderem ein Buch über den Apostel Paulus, von einem Paul Holzer, wenn ich mich richtig erinnere, worin ziemlich langatmig, aber doch interessant berichtet wurde, wie aus Saulus, dem übelsten aller Christenverfolger, Paulus geworden sei, der tüchtigste aller Apostel. Aus heiterem Himmel ein Blitz, das Pferd steigt wiehernd hoch, und was sich Sekunden später aus dem Staub erhebt, ist ein anderer. Der gleiche ein anderer. Nicht mehr Saulus, Paulus. Als ich am folgenden Morgen wie üblich bei der Stark in der Küche hockte, mußte ich nichts erklären, sie sah es ja selbst: Wieder hatte ich viel zu lange gelesen, wieder schmerzten mich die Augen, ich brauchte dringend eine Brille.

Beim Mittagessen informierte das Fräulein den Onkel. Der hob die linke Braue. Dann meinte er: Meine Liebe, das ist eine gute Idee. Er muß ja bald eintreten, da kann es nicht schaden, wenn sie vorher seine Augen überprüfen.

Ja, Monsignore, das denke ich auch. Kann ich abräumen?

Der Onkel, die beiden Hände neben den Teller gelegt, lehnte sich zurück.

Sie riß den Topf vom Tisch und hüpfte hinaus. Offensichtlich freute sie sich auf unseren Gang in die Stadt, dort gab es angeschriebene Häuser, und ein angeschriebenes Haus, pflegte das Fräulein voller Bewunderung für das Schriftliche zu sagen, läßt man nicht aus.

39

Eine Weile standen wir verlegen in der Tür. Dann schien mich Porter zu erkennen: Ah, sagte er, der Nepos. Setzt euch!

Kaum hatten wir Platz genommen, klatschte das Fräulein in die Hände. Nein, so etwas, rief sie, so ein Zufall!, und zeigte mit dem Zeigefinger auf den einzigen

Gast, der vor einem Kaffee-Schnaps hockte, das ist ja der Broger!

Dieser Broger war höchstwahrscheinlich ein anderer Broger als der Gipfel-Broger, aber sicher war ich nicht, denn es war Jahre her, daß ich mit dem Fräulein im Himmel gesessen hatte. Broger saß bei Porter am Stammtisch, wie der immergleiche Appenzeller im »Säntisblick« sitzt, richtete seine Augenknöpfe auf mich und griff, indem er die Winkel der Mundnarbe ein wenig verzog, nach dem Pfeifenkopf. Auf seinen Manschetten, die aus den Kittel-ärmeln hervorstanden, hatte er mit dem Bleistift ein paar Zahlen notiert, vermutlich die eben getätigten Geschäfte. Das Fräulein sagte, wie erfreut sie sei, den Broger wieder einmal zu treffen, dann sah sie sich um und fragte, wo bei allen Heiligen die Bedienung bleibe.

Hanni, rief der Wirt, Kundschaft!

Am ersten Oktober nach dem Rosenkranz-Sonntag, fuhr sie fort, wird er uns verlassen, der Nepos. Er rückt in die Klosterschule ein, acht Jahre Kutte, acht Jahre Latein, da werden sie ihn schon zurechtbiegen, aber da ist ja das Fräulein, rief sie zum Tresen hinüber, für den Studiosus eine Vivi-Kola, für mich einen Likör, und wenn du auch etwas willst, Hanni, nimm es dir, du bist eingeladen.

So, sagte Broger, er ist Student.

Momentan gehört er noch zur Bibliothek, entgegnete die Stark, und besonders freundlich klang es nicht, für sie war ich ja nach wie vor der kleine Spiegel-Katz, der einer hochverdienten Kulturführerin zwischen die Beine gelinst hatte. Er hockt vor dem Saal, fuhr sie abschätzig fort, und muß verhindern, daß uns eine Stadtmamsell mit ihren Stöckelschuhen das Parkett verkratzt.

In diesem Augenblick ein Klirren.

Die Serviertochter!

Klirrend kam sie, klirrend langsam, mit der linken Hand auf eine Krücke gestützt. Auf der rechten Hand balancierte sie das Tablett, worauf die Getränke zitterten, ein Likör für die Stark, ein weiterer Kaffee-Schnaps für Broger, eine Vivi-Kola für mich und ein Fläschchen Orangina für sie selbst. Hanni hatte blonde Zöpfe, lustige Stirnfransen, vorstehende Zähne, graue Mäuseaugen, und ich wagte es nicht, bis zu den Ohren errötend, auf das Bein zu sehen, das bei jedem Schritt ein Klirren in den Boden stampfte. Mit letzter Kraft konnte sie das Tablett, es ein wenig anhebend, auf den Tisch schieben.

Kennst du meinen Monsignore, Hanni?

Sie nickte. Den Katz kennen alle, sagte sie. Ihm gehört die Bibliothek mit den großartigsten Schätzen des Morgen- und Abendlandes, von Aristoteles bis Zyste. Dann schwang sie das steife Bein in einem Bogen unter den Tisch und ließ sich, mit dem linken Arm noch immer in die Krücke gehängt, neben dem Fräulein nieder. Erst jetzt wurde mir klar, weshalb die Altherren darum gestritten hatten, ob die Kinderlähmung eine Gnade sei, die Gott verliehen habe, um mögliche Sünden zu verhindern, insonderheit im Bereich des Sechsten – dabei hatten sie an Hanni gedacht und an ihr lebloses, in Schienen geschnalltes Bein. Indes hatte sie die Krücke auf den Boden gelegt, dem Fräulein den Likör zugeschoben und biß mit ihren Vorderzähnen in den Glasrand. Mein Kopf brannte wie ein Ofen. Sie schielte, während sie in kleinen, nippenden Schlucken ihre Orangina trank, unentwegt nach links, zu mir herüber. Ich trank meine Vivi-Kola und schielte nach rechts, zu ihr hinüber. Gemeinsam tranken wir aus, dann hielten wir das leere Glas mit beiden Händen fest, gerade so, als enthielte es ein kostbares Geheimnis.

Broger war nun doch gesprächig geworden, wobei sich herausstellte, daß er Schweinehändler war. Er gab Neuigkeiten aus dem Appenzellischen zum besten, kam auf die frischen Toten zu sprechen, auf Verlobungen, Hochzeiten, den Schweinepreis pro Kilo, sagte, welche Manserin mit welchem Manser, welcher Broger mit welcher Brogerin, auch gab es Manserinnen, die sich mit einem Broger, und Brogerinnen, die sich mit einem Manser paarten, und während er so redete und die Stark ihre Kommentare gab, hatte sich unter dem Tisch mein Fuß gehoben und berührte nun, aber behutsam, sehr behutsam!, Hannis Bein. Du lieber Himmel, rief die Stark, das hat er von den Katzen!

Was denn?, fragte Broger.

Ich zog den Fuß zurück.

Na, rief die Stark, wie rasch er sein Glas leert!

Warum geschah alles im Verborgenen, unter den Rök-
ken, unterm Tisch? Warum zog mich dieses Bein an,
nicht sehr, aber doch so, daß sich meines von selbst gehoben hatte? Hannis Bein war gelähmt, sie hatte keine
Macht darüber, und sonderbar, eben war mir etwas Ähnliches passiert. Mein Bein hatte sich automatisch bewegt.
Allerdings hatte ich nicht das Hanni erreicht – beim Versuch, sich unterm Tisch in ihre Nähe zu recken, mußte
mein Bein an die Stark geraten sein.

Katastrophe? Gellendes Geschrei? Aufschnellen vom
Stuhl? Nein, zu meinem grenzenlosen Erstaunen schleck-
te das Fräulein mit einer großen, grauroten Zunge den
Glasrand ab und lud mich dann madonnensüß lächelnd
ein, mit ihr und Broger anzustoßen. Ja, da war er wieder,
der schöne Zwiespalt im Fräulein Stark! Ausgerechnet
sie, die all ihr Sinnen und Trachten dem Sechsten geweiht
hatte, die mir jedes Blicken verbot und sogar das Riechen
verübelte, beantwortete die Berührung ihrer sündenrei-
nen Haut mit einer Belohnung, sie griff zum Glas, hieß
mich anstoßen, ich trank und trank ein weiteres Glas,
und als mein Kopf, von einem dritten Likörchen ange-
schlagen, gegen ihre pflaumenweiche Achsel taumelte,
tätschelte sie meine Wange und flüsterte: Kannst schon
bleiben, wenn du magst.

Indes servierte Hanni, verachtungsvoll an mir vorbeisehend, Runde um Runde, die Stube füllte sich, die Gläser begannen zu tanzen, dann tanzten die Tische die Nasen die Glatzen, es wurde laut, es wurde wild, und auf einmal fragte die Stark: Altherr Hassan, warum blinzeln Sie immer?

Ich blinzle nicht, versetzt der eikahle Schädel.

Doch, Altherr Hassan, Sie blinzeln!

Es wird still. Hanni steht starr. Da knipst der Altherr eine Zigarre an, pafft sie in Brand und sagt eisig: Wir haben es nicht gern, wenn sich Philister in unsere Ange-legenheiten einmischen.

Bravo, ruft der emeritierte Gymnasialprofessor Birri, und Altherr Hadubrand, der bereits ein wenig schielt: Besen gehören in die Küche!

Aber das Fräulein läßt sich nicht aus der Ruhe brin-gen. Weder bin ich ein Besen, sagt sie, noch bin ich ein Philister.

Was denn sonst, höhnt die Corona.

Und das Fräulein, voller Stolz: Meine Herren, ich bin eine schlichte Variante.

40

Gegen sechs waren wir wieder an Bord.

Der greise Türhüter erhob sich vom Stuhl, der Gar-derobier glotzte. Weiter vorn trat ein Hilfsbibliothekar aus der Tür, blieb stehen, glotzte ebenfalls, grinste dann, winkte die andern heraus, worauf sich der Türrahmen füllte – hechelnd reckte das Rudel die Hälse. Zwei oder drei Aufseher, die eben unsere Abendschöne aus dem Saal gescheucht hatten, glaubten ihren Augen nicht zu trauen. Aber das Fräulein führte mich an allen sicher vorbei, dann durch das Labyrinth der Gestelle des Katalogsaals in die Kammer ins Bett. Sie zog mich aus, schloß die Läden, löschte das Licht. Wenn dein Bett schwankt, betest ein Gegrüßetseistdumaria. Willst einen Gutenachtkuß?

Ich glaube, es schwankt schon.

Dann bete.

Sie ging.

Etwa zum Onkel? War die Stark der Zwiespalt in Person, die pure Falschheit, mein Schicksal bereits entschieden? War dies die letzte Nacht an Bord? Schmissen sie mich morgen raus? Würde der Onkel den Arm ausstrecken, mit dem Zeigefinger zur Tür zeigen und rufen: Erst die Blicke, dann die Linzerin, schließlich das Handspiegelchen und jetzt, man glaubt es nicht, eine heimliche Berührung der Stark!? Verschwinde, Nepos, apage, laß dich nie mehr sehen!

Am Fuß der Bettstatt lag mein Koffer, bis zur Hälfte gefüllt mit schwarzen Kniesocken, und ich sah mich schon über die eisige Linth-Ebene ziehen, wo ich sie wie ein Hausierer anpreisen würde.

Die Arche war heftig ins Schlingern geraten, mein Bett schaukelte wie eine Wiege, auf und nieder, hin und her, gegrüßet seist du Maria voll der Gnaden, der Herr ist mit dir, wieder hoch und wieder tief, es war eine stürmische Nacht, eine gefährliche Fahrt, ich schwitzte, begann zu fiebern, landete in Manila, aber der katzische Vorfahr, der mich am Quai hätte abholen sollen, konnte mich im Gewühl der darmartig verschlungenen Gassen zwischen Pfeffermagazinen Straßenküchen Hurenhäusern nicht finden. Am anderen Morgen, als der Onkel die Läden aufstieß, salve, Nepos, carpe diem!, war der ganze Innenhof mit einem kühlen, nach Brunnadern riechenden Nebel gefüllt. Ich erschrak. Aber nicht über den Onkel, nicht über ein allfälliges Donnerwetter, das blieb auch diesmal aus – ich erschrak, weil es Herbst geworden war. Der Onkel mochte etwas Ähnliches empfinden. Im Fenster blieb er stehen. Der Frühverkehr tönte gedämpft, wie von fern. Nah das Gejammer der Tauben, das Geschnalz fetter Flügel, doch hatte alles einen andern, etwas leiseren, umhüllten Ton.

Wie üblich eilten wir in die Sakristei, schlüpften in die Meßgewänder, schritten zum Altar, der Onkel warf sein Haupt in den Nacken, stemmte den Kelch in die Höhe, ließ die Orgel erschallen, sang dazu, jubelte, dann begab er sich in sein Büro, wo er, erste Zigaretten paffend, das Frühstück des gesunden Menschenverstandes verschlang, die »Ostschweiz«.

Zwar hatte ich einen Kater, da sehen alle Menschen grau aus, aber die Phantasiehunde, die mich vor dem Einschlafen gehetzt hatten, waren verschwunden. Nein, so in sich zerspalten, daß sie mich abends herzte und nachts an den Onkel verriet, war nicht einmal das Fräulein Stark. Vielmehr würde auch sie den Herbst fühlen, auch sie hatte ein wenig Angst davor, und tatsächlich, seit unserem »Porter«-Besuch verstand man sich wieder, vielleicht etwas gedämpft, nicht frühlingshaft, eher herbstlich, mit umhüllten Gefühlen, aber das dumme Handspiegelchen begann nun doch zu verblassen, verlor im Dunst der kühler werdenden Vormittage seine Bedeutung, und eines Abends, als der Onkel wieder einmal in den »Porter« entwischt war, flogen wir plötzlich aufeinander zu und umarmten uns, bis wir beide zu weinen begannen, halb vor Glück, halb vor Scham. Sie nahm den reuigen Sünder wieder auf, sie hatte mir das Handspiegelchen verziehen.

41

Bref, nun war alles in Ordnung, wieder mochten sie mich, und zum ersten Mal seit Wochen mochten mich beide zugleich. Ich hatte zu essen, erst noch *gut* zu essen, ich gehörte zur Mannschaft, erst noch auf einem bevorzugten Posten, besser konnte es mir nicht gehen. Nepos, sagte ich mir, stopf dir den Bauch voll, trink den Trollinger, erquick dich am philosophischen Disput über Augustinus von Hippo und die nicht vorhandene Gegenwart. Sei im reinen mit dir, und du wirst diese letzten drei Wochen, die dir noch bleiben, in späteren Jahren als die schönsten und glücklichsten deines Lebens in Erinnerung behalten.

So sprach ich. Es nützte einen alten Hut. Auf meinen Wangen zeigten sich erste Pickel, und hatte ich vor dem Spiegel an ihnen herumgedrückt, brannten sie am andern Tag mit einem gelben Eiterpunkt. Nein, wohl fühlte ich mich nicht in meiner Haut. Der Nasenzwerg wollte etwas tun, das ihm der Klosterschüler untersagte, und je strenger der Strenge auf dem Verbot bestand, desto heftiger wehrte sich der kleine Katz für seine verbotenen Wünsche. Mit anderen Worten: Aus den beiden Varianten meiner Person waren Feinde geworden, und die verrinnende Zeit schob sie unerbittlich, unbarmherzig aufeinander zu.

Um neun begann mein Dienst, ich heftete den Blick auf den Boden, nur auf ihre Schuhe, aber ach, schon in der Bibel steht geschrieben, es sei schwer, am Zoll zu leben und nicht reich zu werden. Ich lag am Zoll, und sie kamen, kamen in Scharen, hereingetrieben von einem herbstlich kühlen Regen, hoben ihren Kopf, begannen zu leuchten, wurden weich, und ich gebe es ja zu: Kaum standen sie im offenen Portal, von der Pracht des dunsti-

gen Lichts und den haushohen Bücherwänden überwältigt, mußte ich riechen, mußte ich atmen, mußte ich tief
und immer tiefer in mich einsaugen, was aus ihren Stoffglocken herabdunstete, herbes Parfüm und süßes Parfüm, arabische Gärten, italienische Sonne, Leder und
Sünde, die nächste bitte, die nächste, die nächste, und so
sehr mich mein Riechstengel vor dem Spiegel verstörte,
hier, am Pantoffelzoll vor der Seelen-Apotheke, wo mich
ihre Düfte in schwindelerregende Glückstiefen hinab-
tauchten, war er mein bestes Stück.

Nein, mein zweitbestes. Am Samstag war ich mit
dem Fräulein wieder in die Stadt gegangen, nicht in
den »Porter«, nur zum Optiker, und so trug ich an diesem gesegneten Sonntagmorgen zum ersten Mal meine
Brille, zwar ein altmodisches, mich entstellendes Gestell, aber siehe da, wirklich ist nicht das Wort, wirklich ist das Fleisch, *mein* Fleisch und *ihr* Fleisch, Gerüche
und Sachen, und was für Sachen, o du sachfremder Onkel, wirkliche Schlüpferschnallen und wirkliche Nylon-
strümpfe, Fersen, Stöckelschuhe, Unterröcke, Höschen
Öschen Döschen, ja, Onkel, alles wirklich, alles zu sehen, klar zu sehen, zum Greifen nah, zum Sterben schön,
unter dem Trachtenrock unserer Hochzeitsreisenden zeigt
sich mir in grandioser Deutlichkeit der gesteppte Saum
eines fleischfarbenen Schlüpfers, kurz danach in unge-
wohnter Schärfe der Rüschenrand eines Höschens, und
dann, kurz vor dem Kaffee, erscheint mir unter dem Jupe

137

einer hoch gestiefelten, schön prallen Nachmittagsschönen ganz oben am schneeweißen Oberschenkel ein selt-
sames, mich heftig erregendes Ding, das mir das Herz bis
zum Halszapfen springen läßt...

Ich war weg. Legte mich in meiner Kammer auf das
Bett und küßte, küßte! die beiden Gläser meiner häß-
lichen, meiner herrlichen Brille.

Der kleine Katz hatte gesiegt. Ich hatte es getan.

42

Anderntags war mein Laken abgezogen. Das sagte alles.
Ich hatte es geahnt, ich hatte es gewußt, eines Tages wird
dir dieser verdammte, verfluchte Katzenschwanz zum
Verhängnis. Jetzt war es passiert. Alles aus. Gegen halb
drei Uhr nachmittags, als die Flaute einsetzte, pflückte
mich das Fräulein aus den Pantoffeln und führte mich
am Ohr vor die Tür des Tabulariums. Klopf, sagte sie.

Aber –

Dann tu ichs für dich!

Ich klopfte.

Venite!

Und trat ein.

Das Tabularium praefecti war ein hohes Gewölbe,
eine düstere, nur ihm geweihte Kirche voller Bücher,
Bücher an den Wänden, Bücher über der Tür, Bücher

am Boden, auf Tischen, über den beiden Fensternischen, aber auch auf dem mächtigen Schreibtisch. Der Stifts- bibliothekar schien zwischen seinen Bücher- und Pa- pierbergen nur aus einem Denkerkopf zu bestehen und schwebte wie ein Planet über seiner Lupe. Ich schluckte. Wartete. Fragte dann leise: Du hast mich bestellt, avun- culus meus?

Nach einer Weile schraubte er seinen Füllfederhalter aus der Hülse und machte auf einem gelben, dünnen Streifen eine Notiz. Diese Streifen staken wie Fähnchen in sämtlichen Bänden Folianten Broschüren, manchmal nur ein einziges, meist ein ganzes Bündel. Endlich sagte er: Ja, ich erinnere mich. Nimm bitte Platz.

Danke, Onkel.

Aber auch die Stühle und Sessel waren belegt, da saßen die edelsten Geister des Abendlandes, Aristoteles, Plotin, Hugo Ball, Werner Oechslin, Martin Heidegger, Immanuel Kant, Jacob Taubes, Hans-Rüdiger Schwab, Notker Balbulus, P. Gebhard Müller, Frater Bruno Hitz, der doctor angelicus, ein doctor subtilis, ein doctor mira- bilis, lauter gelehrte Häupter Perücken Kronen, mit de- nen der Onkel, ebenfalls ein doctor subtilis, von gleich zu gleich verkehrte. Ich sah mich hilflos um. Wo durfte ich mich setzen? Sollte ich seine Laute vom Stuhl neh- men oder eine der Heldenbüsten, Wagner Goethe Nietz- sche, von einem Bücherstapel entfernen? Aus der Küche Tellergeschepper, später das Läuten der Eingangsglocke, neue Besucher kamen, draußen ging alles seinen Gang. Da entdeckte ich vor einem bücherfreien Wandstreifen eine schmale, plüschrot gepolsterte Betbank und darüber ein Kruzifix.

Sicher, unseren Hilfsbibliothekaren war nicht zu trauen. Die flüchteten aus dem Scriptorium auf den Abort, wo sie ihr Legionärskraut pafften; die hatten keine Augen, nur Brillen, durch die sie eine böse, ihnen feindliche Welt wie durch Luken beglotzten; die rochen schon nachmittags nach Schnaps, und gerade sie, die Ordnung in die Bücher bringen sollten, hatten gegen Abend zunehmend Mühe, ihre langen Arme zu ord⁄ nen, die Signaturen zu lesen, die Tasten zu treffen. Aber das bedeutete ja nicht, daß alles, was sie im Scriptorium sagten, erstunken und erlogen war. Ganz und gar nicht. Erst letzthin, als ich mich zum dritten Mal nach einer Schrift über jüdische Einwanderer erkundigt hatte, war mir von den Hilfsbibliothekaren beschieden worden, je⁄ den Nachmittag durchleide Katz das Karfreitagsgesche⁄ hen, und zwar hier, auf dieser Betbank, pünktlich um drei. Gelogen? Seine Füße hängen genau über mir, von einem Nagel durchbohrt, wäßriges Blut tropft herab, Finsternis überrollt das Land, und während die römi⁄ schen Soldaten samt ihren Spießen und Bürstenhelmen hügelabkollern, bäumt sich da oben, in der aufstäuben⁄ den Moskitowolke, der wundgestochene Leib vom Holz, will sich mit einem tierischen Schrei aus den Nägeln

140

reißen, sackt zurück, röchelt und verzuckt dann so jämmerlich, daß man unwillkürlich auf die plüschrote Betbank sinkt, die gefalteten Hände unter das Kinn preßt,
aufblickt zu den Füßen des toten Jesus und aus tiefster
Seele, wie es die Hilfsbibliothekare vom Onkel gehört
haben wollen, die Juden verflucht, o ihr Juden, ihr Juden, warum habt ihr das getan!

Ich erhob mich von der Betbank, machte flüchtig das
Kreuzzeichen. Wäre es dir lieber, wenn ich später komme?

43

Nunu, sagte schließlich der Onkel, das Problem sei de-
likat, sehr sogar, doch sei er nicht der Mann, der Schwie-
rigkeiten ausweiche, au contraire, im Gegenteil, er pflege
den Stier an den Hörnern zu packen, id est, er halte es
mit den Lateinern und lasse dem Schlachtruf *in medias!*
ohne jede Schweifung das Wesentliche folgen. Also
denn, in medias! Wie ich ja wüßte oder inzwischen gelernt haben dürfte, fuhr er fort, mehr und mehr in den
salbungsvollen Ton seiner Führungen verfallend, sei im
Anfang das Wort, dann komme die Bibliothek, und so
stelle sich selbstredend die Frage, wie aus den Wörtern
Dinge geworden seien.

Jawohl, Onkel, sagte ich beflissen, diese Frage stellt
sich natürlich.

Es geht um das Geschlecht.

Um das Geschlechtliche, korrigierte er sich, aber bleiben wir doch beim Thema, bleiben wir bei den Wörtern, sprich beim Wort. Das Wort, das am Anfang steht, mußte diesen Anfang und damit sich selbst überwinden, sonst wäre es ja nie zur Welt und zu uns gekommen. Daraus schließen wir: Wörter sind etwas Wirkliches, etwas Lebendiges. Sie haben Kraft, sie wollen leben, wirken wollen sie und sich fortzeugen. Deshalb flossen sie vor Urzeiten aus Gott, dem Urwort, ins All hinaus, sammelten sich in Büchern, gelangten in Seelen-Apotheken, wurden dort abgeschrieben und weitergetragen und in den Katalogschubladen geordnet, aber die Kraft, sich fortzuzeugen und weiterzuwirken, haben sie behalten, weshalb ihnen die alten Griechen, übrigens das klügste Volk, das es jemals gab, einen treffenden, für dich und deine Altersgenossen höchst bedeutsamen Namen gegeben haben, nämlich logoi spermatikoi, lateinisch rationes seminales, oder auf gut deutsch (er schluckte): Vernunft-spermien. Bref: Was raus muß, muß raus, und es versteht sich wohl von selbst, mein Lieber, daß so ein Prozeß, zumal er sich des Nachts wiederholen dürfte, unsere Stark ein wenig überfordert.

Weibersorgen, erklärte der Onkel. Nicht der Rede wert. Du brauchst dir nichts vorzuwerfen. Das Wort drängt ins Fleisch, das gilt sogar für Gott, der in der blutigen Gestalt seines Sohnes am Kreuz verschieden ist,

und ich bekenne gern, daß ich im sternenhaften Aus-
streuen der Logoi spermatikoi den eigentlichen Sinn
meines Schiffes sehe. Was wir fallen lassen, fällt irgendwo da unten, in der Nunu- und Fleischeswelt, auf frucht-
baren Boden, schlägt vielleicht Wurzeln und trägt der-
einst die schönsten Früchte.

Ich hob die linke Braue. Er auch.

Haben wir uns verstanden, Nepos? Es ist wohl das
beste, wenn du ihr bei Gelegenheit andeutest, dein Onkel hätte in puncto puncti mit dir gesprochen.

In puncto puncti, wiederholte ich verdattert.

Er wischte sich den Schweiß von der Stirn. Ich
wußte immer, daß du ein kluger Junge bist. Geh nun an
die Arbeit, um vier hast du eine Führung, da kann dich
ein Hilfsbibliothekar in den Pantoffeln vertreten.

Warte, rief er plötzlich.

Ich erstarrte.

Da wäre noch etwas.

Fünf Schritte bis zur Tür. Ich hielt den Atem an.
Noch ein Wort zum Geschlecht, aber jetzt zum Geschlecht der Katzen?

Draußen schlurfende Schritte, eine weitere Busladung, er mußte doch wissen, daß ich dringend gebraucht wurde. Langsam drehte ich mich um, machte
mich bemerkbar, aber da half kein Räuspern, kein vor-
sichtiges Fragen – ja, Onkel? Was wolltest du mir sagen,
Onkel? –, er war wieder über den Wüstenvater gebeugt

und schien unter der flachen Sonne seiner Lupe zu verfolgen, wie sich dieser in den Gassen der Wunderstadt
verlief.

Ich eilte in die Küche und meldete freudestrahlend,
alles sei in Ordnung, der Onkel habe in puncto puncti
mit mir gesprochen.

Die Stark sah mich ungläubig an. Was, rief sie, er hat
dich tatsächlich *aufgeklärt?!*

Ja, Fräulein Stark. Er hat mich tatsächlich aufgeklärt.

Dann ist es ja gut, sagte sie und ließ den Kessel, in
dem sie eben mein beflecktes Laken ausgekocht hatte,
mit einem vielsagenden Madonnenlächeln unter dem
Spülbecken verschwinden.

44

Der Sommer kam zurück. Es wurde noch einmal heiß.
Brütend heiß. Im Saal mußten die Fenster verhängt werden. Durch die Vorhänge schimmerte orangenes Licht
und ließ die Gesichter über den Vitrinen schamhaft errö-
ten. Schlaff rutschten sie vom Mittelalter in den Barock,
von der Morgenseite (mit den Schränken DD bis QQ)
bis zur Abendseite (CC bis PP). Die Bilder und mit
ihnen die Aufseher verloren sich in einer frühzeitigen,
schwülen Dämmerung. Das Fräulein blieb in seiner Kü-

che, die nackten Füße im Wasserbecken, und der Onkel, der sich immer wieder mit dem Fingerhaken durch den Römerkragen fuhr, trank mindestens so viel Wasser wie Wein. Alles welk. Alles müde. Alles – außer mir. Mich plagte die Hitze nicht, dieser unerwartet noch einmal aufflammende Sommer schien den Herbst in eine dunstige Ferne zu rücken und kleidete die wenigen Besucherinnen so luftig, so leicht, daß es eine Freude war, ihnen die Sohlen zu reichen. Das Fräulein? Blieb zwar präsent, doch im Hintergrund, offenbar hielt sie das befleckte Laken eher für einen Unfall, nicht für eine Sünde. So was kann passieren, mag sich die Bauerntochter gesagt haben, das können wir Fräuleins nicht verhindern, und sollte es bei dieser einmaligen Beschmutzung bleiben, und zur Zeit sah es ganz danach aus, durfte man ein Auge zudrücken. Sie hatte mich ins Tabularium geschickt, vor das hohe Gericht des Onkels, das schon, ja, Erziehung mußte sein, Menschwerdung, Christwerdung, aber weitere Sanktionen oder Poenitenzen waren in puncto puncti nicht vorgesehen. Bref: Ich war noch einmal, wieder einmal, zum vierten Mal davongekommen, und natürlich nutzte ich die abendliche Lectio, präziser: der Klosterschüler nutzte sie, um die hochinteressanten Überlegungen des Philosophen Kant über die Sittlichkeit zu vertiefen. Das gedankenlesende Fräulein wird es mitbekommen haben, jedenfalls machte sie keine weiteren Versuche, mich von meinem Pantoffelposten zu vertreiben, und der Onkel, obgleich von meiner Kant-Begeisterung ein wenig irritiert, war dennoch froh, daß sein Nepos in Richtung Philosophie ausschlug und nicht mehr ins Katzenschwänzische. Goldene Tage, könnte man bilanzieren. Ein heiterer Herbst. Meine Wirtsleute anerkannten, daß ich im Begriff war, ein anständiger Mensch zu werden, und ich selber fand mich mit dem Gedanken, daß der biederbrave Kuttenträger den kleinen Katz demnächst eliminieren würde, immer besser ab. Dem Onkel stellte ich neunmalkluge Fragen, und dem Fräulein gegenüber erklärte ich, wie gern ich an unseren Ausflug dächte, an den Nachmittag im »Porter«, die feinen Liköre, die lustige Heimkehr. Alles in Butter zwischen uns, kein Genadel mehr, das Laken ohne Makel, der Onkel zufrieden, das Fräulein auch.

Und der Kleine, der andere, früher mal die Variante eins?

Ach, der vergaß immer öfter, daß er drauf und dran war, seinen Kampf zu verlieren, sein kurzes Katzenleben auszuhauchen. Lag da wie ein vom langen Sommer früh ermüdetes, vor der Zeit gealtertes Wesen und freute sich, wenn sie kamen, freute sich, wenn sie rochen, freute sich, wenn die aufragenden Beinrohre in der Dämmerung unter ihren Röcken verschwanden, und da er dank der Brille all die Sächelchen und Schnällchen und Bändelchen da oben scharf wie Sterne in einer klaren Wüstennacht erkennen konnte, erregten sie ihn so heftig wie noch nie. Wie Liebkosungen wehten ihre Düfte über ihn hinweg, es flossen die Seiden, knisterten die Strümpfe, flüsterten die Unterröcke, und wenn es den katzenge‚ schickten Händen mal gelang, die zu servierende Pan‚ toffel mindestens eine Handbreit über den Boden zu hal‚ ten, mußte meine Herrin, wollte sie in die Filzhaube schlüpfen, unwillkürlich ihren Stiefel heben, nicht sehr, aber doch so, daß ihr linkes Knie einen allerliebsten Winkel bietet, der leichte Saum ein wenig hochknistert und der eine Oberschenkel so weit nach oben steigt, daß sich mir für den Hauch eines Augenblicks jenes Bändel‚ chen offenbart, das den schwarzen Strumpf am weißen Oberschenkel wie ein Indianerzelt in die Höhe zurrt. Warum erregten mich diese Dinge? Ja, verdammtnoch‚ mal, warum wurde mir das Fräulein in seinem Alpen‚ décor mit jedem Tag gleichgültiger, während ich mit Stielaugen und Katzenschwanz auf ein Nunu‚Zeug rea‚ gierte, das die Bücherarche, die ja Abertausende von Wörtern hütete, nur in einem Dictionnaire anführte: Dessous = darunter, Unterteil, Unterwäsche?

45

Im ersten Kriegsjahr waren sie noch mit Leiterwagen ge‚ kommen, vollbepackt mit Hausrat und Kindern, und Dr. Joseph Katz, der Bademeister, hatte ihnen zu helfen versucht, weil ihn die Fuhren an die eigene Vergangenheit erinnert hatten, an die Flucht der Katzen in die Linth-Ebene, er an der Deichsel und die Mutter, den Kopf zwischen die gestreckten Arme gebeugt, hinter dem Karren, schnaufend, weinend, zieh, hatte sie gerufen, zieh! Damals waren sie sieben Kinder gewesen, und vielleicht, dachte er, vielleicht würden die beiden Geschwister, die er nach dem Tod der Mutter im Waisenhaus verloren hatte, mit den Flüchtlingen über die Grenze kommen, vielleicht standen sie eines Tages in der Badeanstalt, da war es wohl besser, die Gefahr zu ignorieren und den Fremden zu helfen. Dabei kam es Joseph Katz zugute, daß er Jurist war, so schnell konnte ihn Tasso Birri, der als selbsternannter Ortsgruppenleiter großtat, nicht austricksen. Das sprach sich natürlich herum, und so hatte er an den heißen Sommertagen nur noch selten einen Badegast, aber fast immer ein paar angezogene, krankhaft bleiche Unglücksvögel in der Anstalt, Flüchtlinge ohne Fluchtgepäck – seit Frankreich gefallen war, konnten sie nur ihre Haut, meist in einen Wintermantel gehüllt, über die Grenze retten. Sie hockten auf der runden Bank unter dem Nußbaum und sahen stumm vor sich hin. Sie warteten darauf, unter einen Sonnenschirm huschen zu dürfen, wo sich jeder auf ein niederes Stühlchen setzte, eine Beichte ablegte, auf Erlösung hoffte. Im Stuhl saß aber kein Priester, sondern er, der braungebrannte Bademeister, der seine Appenzellerpfeife nur selten aus der Mundnarbe herausnahm. Dabei ließ er den Steg, den Sprungturm und die Umzäunung für Nicht-schwimmer nie aus den Augen — das mußte auch Tasso Birri, der immer wieder behauptete, Katz würde seine Aufsichtspflicht vernachlässigen, zur Kenntnis nehmen. Der Bademeister verletzte keine Gesetze. Die Anstalt wurde sauber geführt.

Ein Unglücksvogel nach dem andern legte seine Beichte ab, sprach seine Hoffnung aus, gab dem Bade-meister die Hand, nickte einen Dank, blickte sich um, eilte davon. Das ging erstaunlich rasch, keiner bekam mehr als zehn Minuten, und nur einmal hatte ein alter, weißbärtiger Herr, der eine Art Zylinder trug, das Ge-spräch durch ein langes Sitzen und Schweigen und Aus-ruhen in die Länge gezogen. Er sei zu müde, hatte er gesagt, um weiterzufliehen. Katz führte ihn zur Bank zurück, unter den Nußbaum, und dort ist er in der Nacht gestorben.

Als sie die Grenze mit geringelten Stacheldrahtrollen vollständig dichtgemacht hatten, blieb Joseph Katz un-ter dem Sonnenschirm sitzen, und im Kiosk, das Kinn in die Hände gestützt, hockte die Stark. Seit Wochen kam niemand mehr, kein Flüchtling, kein Badegast, und triumphierend knatterte Tasso Birri mit seinem Motor-rad über den Damm in die Sonne — als künftiger Orts-gruppenleiter hatte er Sprit genug, um nach Lust und Laune durch die Gegend zu fahren. Katz überwachte das leere Nichtschwimmerbecken, die leere Badewiese, den leeren Sprungturm. Er erfüllte nach wie vor seine Pflicht, fischte Algen heraus, faltete im späten Abend die Sonnenschirme zusammen, lehnte die Liegestühle dagegen, und schlug es sieben, gab er mit drei langen, die Wasservögel erschreckenden Pfiffen bekannt, daß die Anstalt geschlossen sei.

46

Als es zu nachten begann, stellte sich Joseph Katz, der, wie schon bemerkt, später mein Großvater wurde, auf den Damm und suchte mit dem Fernrohr den Himmel ab. Von hier aus sah man über die verschneiten Dächer von Kloster und Stadt, man sah über das abfallende Land bis zum Bodensee und ins Reich hinaus. Vorläufig war es auf der andern Seite noch ruhig, aber kaum war der Himmel vollständig dunkel, näherte sich von Nordwesten her ein Brummen, erst nur ein Brummen, dann ein dumpfes Dröhnen, der Damm füllte sich mit Menschen, und alle riefen Ah! und riefen Oh!, wenn am deutschen Ufer des Bodensees die Bomben einschlugen.

Für ihn waren diese Winternächte ein gutes Geschäft, ein *Bomben*geschäft, wie unten in der Stadt gespöttelt wurde, denn nun bildeten sich vor dem Kiosk seiner Badeanstalt, vor der Marroni-Pfanne, dem Grillrost und den Punschfässern schon im frühen Abend lange Schlangen. Ob die Alliierten heute nacht wieder mitspielen? Nicht immer wurde die Vorstellung gegeben, bei Schneefall und Nebel fiel sie aus, in manchen Nächten jedoch, wenn über dem Kanal und im Westen gute Sichtverhältnisse herrschten, waren Damm und Liegewiese so gesteckt voller Menschen, daß Katz kaum noch wußte, wo er das kassierte Geld hinstopfen konnte. Dann hatte er Hunderte von Zuschauern, die meisten mit Fernrohren oder einem Feldstecher bewaffnet, und begann der Nachthimmel zu glühen, schrien alle nach Bier Punsch Wein, he, Fräulein Stark, für mich noch ein Helles, für mich einen Roten!

Das Dröhnen wurde wieder dumpf, bohrte sich westwärts in die Ferne zurück, und es brannte in der eisigen Nacht der Bodensee, es brannte der Himmel, erst orange, dann rot, die Boys, sagte man, hätten ganze Arbeit geleistet.

Auch der Weiher lag nun wie ein glühender Spiegel in der nächtigen Landschaft. Dr. Katz schlug ein frisches Faß an, und die schöne Theres, seine Tochter, drehte auf dem glimmenden Grillrost die Bratwürste um. Sie hatte den Mantelkragen hochgeschlagen und trug ein Kopftuch, das über der Stirn verzipfelt war. Damit sie sich am Grill nicht verbrannte, hatte sie Handschuhe an, und beugte sie sich vor, um die knisternden Schweinsbratwürste zu drehen, glühte ihr Gesicht wie der Weiher.

Ein Leutnant der Schweizer Armee ließ sie nicht aus den Augen. Er war schlank, groß, blond; der Uniformmantel, elegant in die Taille geschnitten, stand ihm tiptop. Eigentlich war er zu einem Ball verabredet, der Krieg ging allmählich zu Ende, eine Festivität jagte die andere, aber verdammtnochmal, das Mädchen am Grillrost gefiel ihm, es gefiel ihm sehr. Na, Fräulein, immer viel zu tun?

Sie sah erschrocken auf. Gab es das wirklich: Liebe auf den ersten Blick? Ja, sagte sie. Vorgestern haben sie Ulm bombardiert. Gestern und heute ist wieder Friedrichshafen an der Reihe.

Die Zahnradfabrik, erklärte der Leutnant. Friert es Sie nicht?

Neinnein, sagte sie und lächelte scheu, halt immer ein bißchen. Noch eine Bratwurst, Herr Professor?

Jawoll, rief Tasso Birri, jawoll! Er hatte sich heftig schnaufend an die Seite des Leutnants gedrängt. Das war die Zahnradfabrik!, jubelte er, sic transit gloria mundi, gestern die Zeppelinwerke, heute die Zahnradfabrik, danken wir Schweizer unserem Herrgott, daß es mit dem Hitler-Reich zu Ende geht!

Hastig biß er den Zipfel einer Wurst ab, ließ sich gleich eine weitere reservieren, dann lud er den Leutnant kauend und schmatzend ein, gemeinsam mit ihm auf den Damm zu steigen. Es ist heute nacht wieder so hell, verkündete er, daß man die Zeitung ohne Lampe lesen kann! Übrigens, Birri ist mein werter, Tasso Birri, Gym-nasialprofessor, ich war von Anfang an dagegen.

Der Leutnant legte die flache Rechte an den Mützen-schirm. Sehen wir uns noch?, fragte er leise.

Vielleicht, sagte Theres. Wenn die Nacht wieder dunkel ist.

Der Leutnant sollte später mein Vater werden und die schöne Theres, die Tochter des Bademeisters Dr. jur. Joseph Katz, meine Mutter.

47

Billiges Parfüm der Hurenhäuser! Diesen Ausdruck hatte ich in einem der Bücher aus den ersten Biblio-thekswochen entdeckt, und ich brauche wohl kaum zu erwähnen, daß es die Hilfsbibliothekare waren, die mir das Buch empfohlen hatten. Es handelte von einem jun-gen Mann, der einer Chansonette immer weiter nach Osten folgt, von Batavia über Hongkong nach Shang-hai, von einer Hafenstadt zur nächsten, vom Tingeltangel in die Bordelle, schließlich ins Fieber, in den Wahnsinn, in den Tod. Kein Zweifel, in der Küche der Stiftsbi-bliothek roch es nach dem billigen Parfüm der Huren-häuser.

Umkehren? Zurück in die Kammer, ins Bett, unter die Decke? Ausgeschlossen. Die Nase hatte mich geweckt, ich mußte ihr folgen, ob ich wollte oder nicht. Ich schluckte. Zählte bis drei, dann klopfte ich, stieß die Tür zur Küche auf und spielte, nicht mal ungeschickt, den Verschlafenen, der, vom Licht geblendet, blinzelnd um ein Glas Wasser bittet.

Das Fräulein saß allein am Tisch.

Sie trug eine Bluse, Krausen am Hals, Krausen am Ärmel, und auf dem Kopf, keck vor den Apfel gesetzt, das Hütchen mit der Feder. Eine Weile sagten wir kein Wort. Ich trank einen Schluck. Dann sagte das Fräulein: Ich gehe.

Wie bitte?!

Trotziges Nicken, ein kurzer Schniefer, offenbar hatte sie vorher geheult.

Sie verströmte den billigen Parfümduft, vermutlich das Geschenk eines Altherrn, und wie ein prall gepackter Rucksack und ihr Täschchen aus Krokoleder zeigten, schien sie wirklich und wahrhaftig entschlossen zu sein, die Bibliothek bei Nacht und Nebel zu verlassen.

Mein Gott, durchfuhr es mich, hatte sie etwa meine Kniestrümpfe untersucht? Gut, zugegeben, besonders intelligent war es nicht, mich Abend für Abend aus dem Koffer zu bedienen, aber der Weg zum Abort führte durch das nachtdunkle Labyrinth des Katalogsaals, wo ich mich immer ein wenig fürchtete, und das Laken durfte ich nicht mehr beflecken. Ein kaum lösbares Problem, denn was raus muß, muß raus, und leider verlor

der Klosterschüler, kaum war er eingeschlafen, die Kon-
trolle über den Katzenschwanz. Was tun? Er konnte
höchstens versuchen, den nächtlichen Erguß *vorwegzu-
nehmen,* und da er zu den Kniesocken ein besseres Verhältnis hatte als der kleine Katz, fischte der Klosterschüler
vor dem Einschlafen noch geschwind einen Kniestrumpf
aus dem Koffer, zog ihn über den Katzenschwanz und
rieb daran, bis die Spermatikoi in die Wolle schossen.

Sie schniefte wieder. War ich tatsächlich aufgeflogen? Hatte sie meine Kammer durchsucht und aus dem
Koffer einen spermatikoi-verklebten Kniestrumpf gezogen?

48

Plötzlich sagte das Fräulein: Katz hat ein Mäuschen.

Hatte ich richtig gehört?

Vize Storchenbein hat es mir gesteckt. Sie heißt
Nares.

Donnerwetter! Ich schluckte. Glotzte blöd. Was für
eine Nachricht – mein braver, angeblich über alles Niedere erhabener Onkel trieb es heimlich mit einer Ge-
liebten!

Ich setzte mich. Tippte mit meinem Fuß ihren Na-
gelschuh an. Konnte sich der lange Storchenbein einen
Scherz gestattet haben? War es möglich, daß die Schreib-

stube aus purem Katzenhaß ein Gerücht geboren hatte? Denkbar, gewiß, aber sie hatte sogar einen Namen, diese Geliebte, Nares war ihr Name, und wenn ich es mir recht überlegte – eigentlich hatte ich schon immer ge- ahnt, daß Onkel Katz ein doppeltes Spiel spielte. Wer dermaßen übertreibt, wer unter dem hochgestützten Ver- wandlungskelch jeden Morgen in eine wohlberechnete Verzückung ausbricht, wer sein Priestergewand als Son- deranfertigung aus einer Römer Exclusiv-Boutique be- zieht und mit Schnallenschuhen, die er unter dem rotge- fütterten Rocksaum hervortanzen läßt, den vornehmen Prälaten markiert, der versucht doch, mit all diesem halb- seidenen Aufwand etwas zu verbergen, oder nicht?

Ich legte meine Hände flach auf den Küchentisch, lehnte mich zurück, schickte den Blick zur Decke und sagte: Fräulein Stark, das haben die im Blut – Katz bleibt Katz.

O ja, stöhnte die Stark, schlug sich die Hände vors Gesicht und brach dann in ein heftiges, zittrig in die Hutfeder fahrendes Schluchzen aus. Ich konnte sie ver- stehen, ich fühlte mit dem Fräulein. Da hatte sie dem Alten die Badeanstalt gemacht, hatte den Kiosk geführt und meine Mutter erzogen, und was war der Lohn? Ein gutes Jahr später – der Krieg war inzwischen vorbei – wurde Jacobus Katz aus dem hintersten Winkel des Scriptoriums hervorgezogen und zum Stiftsbibliothekar ernannt, und der alte Katz schickte die Stark in die

Bibliothek, damit sie seinem Sohn den Haushalt führe. Ein paar Jahre lang ging alles gut. Er trug bauschige Röcke, und sie hatte Hosen an. Sie kam aus den Bergen, und seine Familie kam aus der Ebene. Sie nahm die Mahlzeiten in der Küche ein, und wiewohl das Fräulein immer wieder hören mußte, wie sich Monsignore während des Essens eine Zigarette anknipste, briet sie ihm Enten, braute zur Ochsenzunge eine Rotweinsauce, und während der Fastenzeit, wenn er zwanzig Kilo abspecken wollte, servierte sie ihm mit Waldkräutern gewürzte Bachforellen. Er schrieb eine Broschüre nach der andern, und sie, die kaum lesen, geschweige denn schreiben konnte, holte am Bahnhof die Gelehrten ab und führte sie in einem an Cicero und natürlich am Stiftsbibliothekar geschulten Latein in die Bibliothek: Venite, librorum amatores, hoc est praefecti nostri tabularium!

Das Fräulein tat mir aufrichtig leid. Sie hatte ihr Leben für die Katzen gelebt und mußte nun einsehen: Es war ein Leben für die Katz. Jacobus, der ehrwürdige Stiftsbibliothekar, hatte ein Mäuschen.

Endlich hatte sich das Fräulein ausgeheult. Ich kniete mich hin, um ihr die schweren Nagelschuhe von den Füßen zu nehmen. Sie ließ es wortlos geschehen, und als ich kurz und sehr keusch an ihr hochblickte, glaubte ich in ihren nassen Augen eine müde Dankbarkeit zu sehen. Ich stand auf. Fräulein Stark, sagte ich, Sie sind nicht allein auf dieser Welt, ich werde Ihnen helfen.

Du?

Ja. Ich nehme Sie mit. Wir gehen zusammen.

Zuviel versprochen? Aber nein, unter dem hoch den September überragenden Lichtgewölbe eines August-blitzes war ich verwandelt worden, und zwar zum Guten, fühlte mich wie neu geboren, kannte meine Verantwortung und durfte davon ausgehen, daß wir im Kloster Einsiedeln bestimmt ein Plätzchen haben würden, das sich zum Nutzen meiner Patres für das Fräulein eignete. Bis morgen, flüsterte ich.

Bis morgen, sagte das Fräulein Stark.

Nunu, kann man da nur sagen, so ist das Leben. Als Kind war ich zu Anfang des Sommers in die Bibliothek gekommen, und als christlicher Jungmann würde ich morgen abziehen, am Arm das Fräulein Stark.

49

Der sogenannte Wiboradentrakt lag tief in den Kellern und erinnerte mit seinem Namen und einem versteck-ten Schrein an Wiborada, eine Klausnerin aus der Früh-zeit, die in einer grandiosen Vision erkannt hatte, daß eine raubmordende Horde dem Kloster nahe, worauf die Mönche mitsamt ihren Meßbüchern, Bibeln und Klas-sikertexten in die Bergwälder geflohen waren. Wiborada selbst, durch ein Inklusengelübde gebunden, harrte im leeren Kloster aus, betend und singend und Gott für ihr Martyrium dankend, denn auch das hatte sie vorausgesehen: daß sie mit ihrem Blut für die geretteten Bücher zahlen müsse. Als die Hunnen, eine Reitermeute aus der ungarischen Steppe, in die Abtei eindrangen, fanden sie nichts als ein psalmodierendes Weib. Sie sahen sich um ihre Beute geprellt und hieben die Singende mit Äxten tot. Kurz nach der Jahrtausendwende sprach man sie heilig, und seither, also seit gut tausend Jahren, gilt Sancta Wiborada, die von Äxten zerteilte Klosterfrau, als Patronin aller Bibliotheken und Büchermenschen.

Der Onkel hatte einen Schlüsselring in der Hand und leuchtete uns mit einer Taschenlampe treppabwärts. Hie und da schwirrte eine Fledermaus, beide zogen wir die Köpfe ein, dann erwischte er den passenden Schlüssel, stieß eine Eisentür auf, ließ den Strahl über abgetretene Steinstufen huschen, und wieder ging es abwärts, noch tiefer hinab in die ewige Kälte der Katakomben des uralten, seit Jahrhunderten von seinen Mönchen verlassenen, sich im Erdinnern verlierenden Klosters. Nachdem wir durch weitere Türen gegangen und mehrmals in Seitentunnels abgebogen waren – inzwischen hatte ich die Orientierung vollständig verloren –, standen wir schließlich vor einer Nische, in der es fadsüßlich nach Gruft roch. Hier, sagte der Onkel, haben sie uns die Wiborad erschlagen.

Die Wiborad, wiederholte ich kleinlaut.

Ja, sagte er mit dumpfer, wie erwürgter Stimme. Später war es dann der Ort, wo die Poenitenz erteilt wurde.

Die Poenitenz.

Der Onkel ließ den Strahl über die Wand gleiten, wo Folterinstrumente hingen, Geißeln Zangen Ketten, aber auch Kapuzen und Säcke mit Lederriemen. Damit, meinte er, hätten sie früher die Ketzer gezüchtigt.

Die Ketzer.

Ketzer und Lüstlinge, präzisierte er.

War mir ein kleiner dummer Fehler unterlaufen? Hatte mein Vorschlag, wir könnten zusammen verreisen, zu einer peinlichen Entdeckung geführt? War sie frühmorgens, als ich noch schlief, in die Kammer gekommen, um den Rest meiner Sachen zu packen? So würde es sein. Im Koffer war sie auf die verklebten Kniestrümpfe gestoßen und hatte, vom grausigen Fund geschockt, den Onkel informiert. Er schien sich in der schweren, vom Tod geschwängerten Luft noch unwohler zu fühlen als ich. Komm, sagte er, weg hier.

Ich folgte ihm, wir stiegen noch steiler, noch tiefer hinab, wieder klirrte der Schlüsselring, das Schloß krachte, das Tor gab nach, die beiden Flügel gingen knarrend auf. Eisiger Hauch schlug uns entgegen, stumm blieben wir stehen. Ein hastiges Geraschel, vermutlich Ratten, dann hörten wir nur noch unseren Atem. Nunu, sagte er, da wären wir!

Seine Schritte entfernten sich.

Was hatte er vor? Warum sagte er nichts? Wie würde mich der ehrwürdige Stiftsbibliothekar für die Spermatikoi bestrafen?

Da knackte es, aus dem Dunkel hoher Gewölbe platzten Dutzende von Glühbirnen herab und beschienen, wie ich zu meinem Erstaunen bemerkte, mit ihren zittrigen Lichtfäden tief in die Düsternis sich verlierende Schluchten aus riesigen, weißlich verstaubten Bücherregalen. Dieser Keller mußte um vieles größer und höher und weiter sein als der Barocksaal, der irgendwo da oben, zehn Stockwerke über uns, durch den lauen Nachmittag schwebte.

Der Onkel stand am Fuß eines haushohen Gestells. Er hatte ein Buch in der Hand und sagte, als würde er den Satz ablesen: Du hast dich mit der Stark unterhalten?

Ja, Onkel.

Nach wie vor in die Seiten blickend, schob er die Brille in die Stirn. Worüber?

Heute morgen über das Wetter.

So. Über das Wetter.

Oder ging es gar nicht um die Kniestrümpfe, ging es um unsere Flucht? Hatte ihm das Fräulein gestanden, daß ich ihr angetragen hatte, sie mitzunehmen und bei meinen Patres unterzubringen?

Sorgfältig wurden die engbedruckten, fleckig vergilbten Seiten umgeblättert. Er las, schmunzelte, las weiter. Ich fröstelte. Endlich fragte er, ob ich ihm sagen könne, was im Portalrahmen geschrieben stünde.

Psychesiatreion.

Recte dicis, bemerkte der Onkel. Und was sagen wir, bevor wir unsere Gruppen ins Innere führen?

Im Anfang war das Wort. Dann kam die Bibliothek. Und erst an dritter und letzter Stelle kommen wir, wir Menschen und die Dinge. Nomina ante res, die Wörter zuerst!

Er las noch ein paar Sätze, dann zwängte er das Buch in die Reihe zurück, klappte die Brille auf die Nase, tauchte seitwärts weg und verschwand dann mit staub-wirbelnder Kutte durch eine der zahllosen, nur schwach beleuchteten Querschluchten. Ich versuchte ihn einzuho-len, doch jedesmal, wenn ich eine abzweigende Schlucht erreicht hatte, führte diese auf ein querstehendes Gestell zu, auf eine Wand aus lauter Bücherrücken, verstaubt, von Spinnen verwoben, nach Moder riechend und nach Winter. Als ich mich in dem graudüsteren, nur von Gei-stern und Ratten bewohnten Bücheratlantis schon ver-loren glaubte, trat ich aus einer engen Gasse auf einen Platz hinaus. Staubverschneite Kisten und Truhen stan-den herum, eine Art Warenlager, das darauf zu war-ten schien, endlich verschifft zu werden. Der Onkel war über eine offene Truhe gebeugt und kramte darin herum. Er sagte: Wir befinden uns hier in der nachreformatori-schen Blütezeit. Erster Bibliothecarius war damals Pater

Schenk, 1680 bis 1705. Willst du mal sehen? So hat die Schenksche Katalogkarte ausgesehen.

Zwar dämmerte mir jetzt, wo wir uns befanden: auf dem Friedhof der Katalogkarten. Jedesmal, wenn ein neuer Chef gekommen war, hatte er sein eigenes System eingeführt und das alte hier unten auf die Deponie geworfen. So war jede dieser Truhen und Kisten ein Grab, worin ein Buchstabe oder eine Silbe, auf eine Unzahl von Kärtchen verteilt, vor sich hinmoderte. Aber warum hatte er mich in diese Unterwelt hinabgeführt? Wofür sollte ich bestraft werden, für die Socken, für die Flucht oder ganz allgemein für mein Schauen und Schnuppern und Träumen?

Die armen Hilfsbibliothekare, dachte ich plötzlich. Da hockten sie ein Leben lang im Scriptorium und füllten Katalogkarten aus, eine Karte nach der andern, Tausende und Abertausende von Stichworten und Titeln und Signaturen – und was geschah damit? Wo landeten sie? Sie landeten hier, in diesem von aller Welt vergessenen Hafen am Rand der eisigen Finsternis. Auf einmal zog er eine Karte hervor, hielt sie mir unter die Nase und fragte: Kannst du das lesen?

Stotternd begann ich das Wort zu entziffern. Schre... Schrei... Auto.

Ja, half er mir, Schreibautomat.

Ich stutzte. Die Karte stammte aus der nachreformatorischen Blütezeit, als Pater Schenk Erster Biblio-

thecarius gewesen war, und natürlich wußte ich inzwischen, daß Remington, der amerikanische Revolverfa-
brikant, die Schreibmaschine erst sehr viel später erfunden hatte, am Ende des vorigen Jahrhunderts. Trotzdem
mußte es dieses Wort schon seit Urzeiten gegeben haben:
Schreibautomat, hatte eine längst verweste Hand auf der
Karte vermerkt und zugleich auf die Stellen verwiesen,
wo man diesen Begriff zwischen A und U (im Parterre)
oder AA und UU (oben, auf der Galerie) gefunden
hätte.

Den Schreibautomaten, meinte der Onkel, wird es
erst im *nächsten* Jahrtausend geben. Wenn überhaupt,
fügte er hinzu, aber nachweisbar sei das Wort schon unter Uto, Luithart und Waltram, den Bibliothekaren des
9. und 10. Jahrhunderts, als eine Art Seufzer am Sei-
tenrand von Bibelabschriften aufgetaucht. Lieber Gott,
habe da gestanden, ersetze deinen armen Diener Grimalt
durch einen Schreibautomaten! Das Wort sei also da-
gewesen, lange vor dem Gegenstand, den es eines Tages
bezeichnen würde. Kapiert, Nepos?

Ja, Onkel, sagte ich unsicher. Mehr oder weniger.

Das gleiche, fuhr er fort, gelte auch für andere Wörter, wie zum Beispiel Luftschiff oder Astronaut. Bereits
in der Antike seien sie bekannt gewesen, doch erst vor
wenigen Jahrzehnten sei drüben in Friedrichshafen der
erste Zeppelin gestartet, und erst neulich, im April 61,
hätten sie in einer Sputnikkapsel den ersten Menschen

ins All geschossen. Quod erat demonstrandum, schloß er seine Rede. Was ist von der Zeppelinhalle geblieben? Nur ein paar verbogene, schwarz verschmorte Eisenrippen, die alliierten Bomber haben ganze Arbeit geleistet, zwischen AA und UU jedoch (oben, auf der Galerie) ist die fliegende Schifferei in ihrer ganzen Herrlichkeit versammelt, unzerstörbar bis zum Jüngsten Tag.

Nomina ante res!

Ja, sagte der Onkel, wichtiger Begriff, grundlegende Erkenntnis! Übrigens – abgekürzt heißt das Nares.

Ich hob die linke Braue.

Haben wir uns verstanden, du schlichte Variante? Nares ist eine unter uns Gelehrten gebräuchliche Abkürzung. Das N steht für Nomina, das a für ante, res für res. Na-res. Ein Philosophenscherz! Vize Storchenbein hat euch auf den Arm genommen, meine Geliebte heißt tatsächlich Nares, und ich hätte geschworen, du würdest die Pointe erfassen. Hast du denn gar nichts gelernt? Ist nicht ein einziger Funke in deinen Schädel eingedrungen? Da haben wir dich einen Sommer lang auf der Bücherarche mitfahren lassen, und das Ergebnis? Rien. Null. Nichts. Du bist für unsere Herrlichkeit blind und taub geblieben. Du hast die Welt erblickt und nicht im Ansatz begriffen, daß du sie siehst. Ach, sagte der Onkel, es ist zum Haarölsaufen! Nichts hat er kapiert. Er ist so blöd wie zuvor. Eine schlichte Variante.

Ich senkte den großen hohlen Kopf und war froh,

daß die häßliche Brille nicht nur die krumme Nase, sondern auch meine Tränen verbarg.

Schweigend kehrten wir aus der winterkalten Unterwelt in den lauen September zurück, schweigend aßen wir zu Abend, und als ich endlich in meiner Kammer lag, getraute ich mich nicht, eine der letzten noch sauberen Socken aus dem Koffer zu zupfen und unter die Decke zu schmuggeln. Ich lag wach, starrte ins Dunkel und stellte mir schaudernd vor, daß es Jahre, vielleicht Jahrzehnte dauern könnte, bis wieder ein Mensch das untergegangene Bücherreich betreten würde.

50

Wie soll ich es erklären? Nares bewahrte ihr Geheimnis, Nares behielt ihre liebreizende Gestalt, schön wie der Mond in der vierzehnten Nacht, sanft wie das Plätschern der Brunnen, süß wie der Brodem der Blumenbüsche kehrte sie arabisch verschleiert in den Palast meiner Sehnsucht zurück. Natürlich trug sie unter ihren Schleiern ein Dessous, ein federleichtes Stück Stoff, das ihre schwarzen Seidenstrümpfe mit flachen Schnallen festhielt und an den schneeweißen Oberschenkeln wie kleine Indianerzelte in die Höhe zurrte. Irgendwann, das wußte ich, würde mich die siebenschöne Nares trotz meiner krummen Nase, trotz der roten Katzenaugen in den Palast winken und unter ihre Tücher schlüpfen und durch den Torbogen der vom Vernunftphilosophen erfundenen Strapsbändel eintauchen lassen in ihr Geheimnis. Das würde erst in vielen, vielen Jahren geschehen, aber dieser Gedanke stimmte mich nicht traurig, eher müde, schläfrig, es gab ja nichts mehr zu tun, an diesen letzten Nachmittagen, da ich in den Pantoffeln lag, nahm der Verkehr mehr und mehr ab, nur noch selten trat eine Besucherin aus dem Saal, müde auch sie, die Saison war vorbei, und die Bücherarche, an den meisten Nachmittagen in eine frühe Dämmerung getaucht, glitt langsam und leise in den tieferen Herbst hinein.

Hatte ich geschlafen? Schlief ich immer noch? Träumte ich?

Das Klirren wurde lauter, kam näher, ich wollte wissen, was los ist, hatte aber Mühe, mit schlaftrüben Augen zu erkennen, was mir da durch den Gang entgegenklirrte, schiefbucklig auf eine Krücke gestützt, mit dem geschienten Bein. Auch die Türgreise glotzten, aber schon sanken ihre Schädel wieder nach vorn, sie hatten ihre Pflicht erfüllt, sie durften wegsehen, konnten weiterschlafen, nun lag es an mir, dem armen Mädchen zu sagen: Halt! Mit deiner Krücke darfst du nicht in die Bibliothek.

Sollte ich das Fräulein rufen?

Seit jener Nacht, da wir beschlossen hatten, miteinander zu fliehen, waren wir uns aus dem Weg gegangen. Wenn ich meine Milch trank, mußte sie gerade den Abort putzen, und hatte sie im Saal zu tun, betrat sie diesen fast ausschließlich durch eine Seitentür, entweder auf bloßen Socken oder mit ihren Tigerfinken, die zu den Kordhosen paßten wie die Faust aufs Auge. Hatte sie dem Onkel unsere Fluchtabsicht gebeichtet? Wußte er, daß ich ihr anerboten hatte, sie mitzunehmen und bei den Patres unterzubringen? Ich hatte keine Ahnung, doch war es mir lieber, wenn die Sache nicht mehr berührt wurde – plump waren wir auf Vize Storchenbeins Gelehrtenscherz hereingefallen, plump war die Sache aufgeflogen, und wer weiß, vielleicht fremdeten wir voreinander, die Stark und ich, weil wir erkannt hatten, daß wir beide das gleiche waren: schlichte Varianten. Nein, an das Fräulein konnte ich nicht gelangen, an den Onkel schon gar nicht, ich mußte mir selber helfen, ja, aber wie?

Aber wie! Für den Klosterschüler wäre es kein Problem gewesen, am Stamm der Altherren hatte er so dies und das gelernt und wüßte vermutlich, wie man mit dem behinderten Besen umspringen müßte, tut mir leid, altes Mädchen, Bibliotheken und Tanzbühnen sind nichts für dich, laß uns ein wenig plaudern, es ist sowieso das letzte Mal, bald gehts in die Berge, andere Städtchen, andere Mädchen!

So könnte er reden, ihr mit dem Taschentuch die Tränchen wegtupfen, vielleicht sogar ein Küßchen abschmeicheln, doch gerade jetzt, da mir sein steinernes

Herz geholfen hätte, die peinliche Situation zu überspie-
len, war vom Klosterschüler weit und breit nichts zu
sehen, der andere hatte Dienst, der kleine Katz, und war
doch müde, müde vom langen Sommer, welk und wund
und jung gealtert und wußte beim besten Willen nicht,
wie er sich entscheiden sollte, für das arme Mädchen oder
für den weltberühmten Geigenholzboden der Bibliothek. Lief denn immer alles verkehrt? Als ich die Nase
dringend gebraucht hätte, um hinter dem Namen Nares
eine Abkürzung zu riechen, hatte der tumbe Klosterschüler agiert, und jetzt, da ich am liebsten ein Stück
Marmor gewesen wäre, nichts fühlend, nichts merkend,
nichts wissend, mußte noch einmal der andere erwachen,
die Augen aufreißen und mitbekommen, wie die bein-
lahme Serviertochter aus Porters heruntergekommener
Gastwirtschaft von der Bilder- und Bücherpracht des Barocksaals ergriffen wurde. Schweigend stand sie im offenen Portal, stand und sah und staunte, und während ich
eilig abzuschätzen versuchte, ob man ihren Spezialschuh
nicht doch in die Filzhaube einer ausgelatschten Über-
größe hineindrücken könnte, straffte sich ihr Rücken, der
Kopf legte sich um ein weniges in den Nacken, und mit
sanfter Gewalt öffnete ihr der Bücherhimmel erst die
Lippen und dann die Augen, die zu weinen begannen.
So etwas Schönes, stammelte Hanni, so etwas Schönes!
Ich kniete vor ihrem Lederklumpen, aus dem das
kranke, in glänzende Schienen eingeschnallte Bein arm-

dünn hervorstand. Nein, da war nichts zu machen, Hanni mußte draußen bleiben, die Gefahr, daß ihr Krückstock im hautweichen Kirschbaumholz nie mehr zu tilgende Stempel hinterlassen würde, war zu groß. Hat sie es selber gespürt? Ich weiß es nicht, ehrlich, ich weiß nicht mehr, was ich gesagt habe, da verschwimmt einiges, taucht ab in die Katakomben, wo es in irgend‐welchen Akten, sauber verschnürt, allmählich vermo‐dert, aber dieser hoch vernestelte, scharf nach Leder und süß nach Schuhcrème riechende Spezialschuh ist in mei‐ner Erinnerung stehengeblieben: übergroß, überdeutlich, bis heute.

Sie habe gehört, daß ich bald verreise, sagte nach ei‐nem langen Schweigen Hannis ferne Stimme, sie sei ge‐kommen, um mir adieu zu sagen.

Ich versuchte irgend etwas zu antworten, aber ich schaffte es nicht. Ich kniete zu ihren Füßen und linste un‐ter ihren Rock, und was der Bücherhimmel eben mit ihr gemacht hatte, machte Hanni nun mit mir. Sie öffnete mir erst die Lippen und dann die Augen, die zu weinen begannen. Alles wurde weich, wurde warm, und was ich im langen, nun im Herbstnebel sich verlierenden Sommer immer nur kurz, nur von weitem und meist als etwas Verhülltes hoch oben im Abgrund ihrer Stoffglok‐ken mehr erahnt als erblickt hatte, verbarg sich jetzt in meinen Tränen. Ich hatte die Welt vor Augen und ver‐mochte sie nicht zu sehen. Ich denke bis heute an Hanni, und in einem wiederkehrenden Traum, von dem ich nie weiß, ob er mich bedrücken oder beglücken will, zieht sie ohne Krücke in den Saal ein, selbstverständlich mit meinen Pantoffeln, dreht Kreise und zieht Figuren, lacht und tanzt und schwebt, bis sie dann, noch schmaler wer-dend und noch leichter, im heiteren Nachmittagslicht wie im Nichts verschwindet, ein hochflatternder Rock, eine sommerleichte Glocke, die mir alles, alles zeigt…

51

Dieser Stoff, ein silbern schimmerndes Innenfutter, soll früher einmal, viel früher, im vorletzten Jahrhundert des letzten Jahrtausends, ein Ballkleid gewesen sein, vornehm und kostbar, silbrig blau und silbrig rot, von Küssen bedeckt, von Kerzen beglänzt und Nacht für Nacht von verliebten jungen Grafen und strammen Leutnants durch herrliche Ballsäle geführt. Wer die Schöne, die die Robe getragen hat, gewesen ist, weiß niemand, irgendwann je-doch, irgendwann und irgendwie und wie im Traum, kam ein alter Mantel über die baum- und menschen-lose Ebene dahergeweht, ein schäbiger Mantel, vom jam-mernden Wind getrieben, der Pelzkragen abgetrennt, der Rücken löchrig, voller Flicken und Risse, und kostbar an diesem Mantel war nur sein Innenfutter, das ehemalige Ballkleid, das nun abgeschabt war zu seidiger Farblosigkeit. Wie das Ballkleid als Futter in den Mantel geraten und woher dieser Mantel zugeflattert war, ob aus dem Galizischen, aus Polen oder aus Rußland – keine Ahnung, niemand weiß es, denn nur das Innenfutter, könnte man sagen, hat das Ziel der langen Reise erreicht, nur das Innenfutter lebte weiter, nahm gleichsam Gestalt an, wurde zu einer Linie und sogar ein Geschäft.

Das kam so: Alexander »Sender« Katz gelangte aus den unendlichen Ebenen des Ostens über tausend Umwege nach Zürich und hatte von seiner jahrelangen Wanderung einen Husten, der so hölzern klang, als klopfe jeder Stoß gegen die Sargtür. Sender Katz war verzweifelt. Warum hatte er die Ebene verlassen? Was suchte er hier? Eines Tages lernte er ein Mädchen kennen, sie war aus Zürich, er verliebte sich in sie und wollte ihr etwas schenken. Da er außer dem Fetzen Stoff nichts hatte – wie ein Fahnenträger hatte er das Innenfutter vom Schlachtfeld seines Lebens gerettet –, nähte er die fadenscheinigen Teile schlau und geschickt zu einem Dessous zusammen und zog es seiner Angebeteten, bevor sie auf- und davonspringen konnte, über die weißen Schnürstiefelchen unter die Röcke. Sie sah ihn erschrocken an, fühlte aber die schlanken, warmen Hände, die ihr das Dessous um die Hüften legten, und ließ ihn gewähren. Nein, heiraten wollte sie ihn nicht, er war ja kein Hiesiger, doch war sie schließlich bereit, dem kränkelnden Katz erst zu einer Kur und dann zu einem Kredit zu verhelfen. Auch ihre

Freundinnen, das ahnte sie gleich, würden sich liebend gern so ein Sündenhöschen unter die Röcke ziehen lassen. Sie war eine stramme Zwinglianerin, zugeknöpft bis zum Kinn, fromm, streng, geschäftstüchtig, vermählte sich kurz danach einem aufstrebenden Landsmann, und Sender Katz mußte froh sein, ein armes Mädel zu bekommen und durch die Heirat den Gewerbeschein für eine Schneiderwerkstatt. Die Frau, die ihn finanzierte, wohnte bald in einer Villa, und Katz versuchte nach getaner Arbeit zwischen brüllenden Kindern und tropfenden Windeln die Sehnsucht nach der Ebene zu verbeißen. Der Wind jammerte Melodien durch seinen Kopf, und wenn er mit müden, zunehmend schlechteren Augen ein Stück Seide betrachtete, meinte er immer öfter den Himmel darin zu sehen, den unendlich hohen Himmel des Ostens, unter dem die Äcker zu Furchen wurden und im Dunst fern und grau verrannen. Das hätte Katz gern in Töne gesetzt, gemalt oder wenigstens beschrieben, aber die Besitzerin seiner Arbeitskraft lebte im rechtschaffenen Glauben, geschickte Finger seien nicht für die Kunst, sondern zum Arbeiten geschaffen. Fast täglich brachte sie eine Freundin in die Werkstatt, dann schlüpften die beiden Frauen hinter den Vorhang und probierten kichernd an, was Katz genäht hatte. Das Geschäft kam in Schwung. Nach außen gaben sich die Weiber der protestantischen Krämerstadt bürstig, aber offensichtlich gefiel es ihnen, im verborgenen ein Sündenhöschen zu tragen, einen luftigen Silberschimmer, den Sender Katz, wie er ihnen flüsternd erklärte, dem östlichen Himmel entrissen hatte. Bald füllten erste Namen die Kundenkartei, untendrunter hatte man einen Katz, und einzig er selbst, der in einer engen Gasse bei blakenden Petroleumlampen vom frühen Morgen bis tief in die Nacht hinein entwerfen und zuschneiden und nähen mußte, hatte nichts davon. Sicher, am Hunger nagten sie nicht, die Besitzerin war rechtschaffen, alles andere als ein Unmensch, sie wollte ihren Dessous-Schneider nicht aussaugen, sie gab ihm Arbeit und nahm es hin, daß sich seine Dankbarkeit in Grenzen hielt. Aber das Heimweh hatte Sender Katz immer fester im Würgegriff, nicht Heimweh nach einem Land, Heimweh nach dem Himmel, und da seine Frau gemeint hatte, er würde wieder die ganze Nacht durcharbeiten, fand man ihn erst am nächsten Vormittag. Sender Katz saß im Schneidersitz auf dem Tisch, in der Hand ein Stück Morgenhimmel, silbrig blau und silbrig rot. Der kleine Ofen war längst erloschen, die Leiche war schon kalt und steif. Da mußten sie ihm, um den verknoteten Körper in den Sarg zu bekommen, sämtliche Knochen brechen, und so ist Sender Katz, unser Urahne, als vielfach gebrochener Mann in einer ihm fremden Erde begraben worden.

52

Die vornehme Dame, für die er gearbeitet hatte, erklärte sich großmütig bereit, die geschuldeten Werkstattzinsen zu vergessen, und ließ Katzens Witwe samt Bagage erst nach Ablauf eines halben Trauerjahres auf die Straße setzen. Die Witwe packte den Rest ihrer Habe und die kleineren Kinder auf einen Leiterwagen und verließ – es war an einem Samstagmorgen im Sommer – die glockenläutende, untendrunter Katz tragende Stadt. Neben ihr ging Joseph, ihr Ältester. Sie schleppten den Karren gemeinsam, Joseph vorn, an der Deichsel, sie hinten, den Kopf zwischen die gestreckten Arme gebeugt, heimzu wollten sie, unter den hohen Himmel der winddurchheulten Ebene, von der Sender Katz zeit seines Lebens gesprochen hatte.

Sie haben die Ebene erreicht, aber es war die Linth-Ebene, und so weit und tief wie in den Erzählungen von Sender Katz wurde sie nur im Nebel. Nach dem Tod der Mutter und dem Verschwinden der beiden Geschwister ging Joseph, der älteste Sohn des Sender, immer die gleichen Wege ab, auch im Winter, wenn die Sümpfe zugefroren waren, wollte er festen Boden unter den Füßen haben, sicheren Grund – doch vom Wasser oder von der Ebene kam Joseph Katz nicht los, nie mehr. Als die Seidenfabrik in Konkurs gegangen war, wurde er Bademeister, zog sich eine froschgrüne Gummikappe über den

Schädel und starrte durch runde, tiefschwarze Gläser auf den Weiher hinaus.

Er schaffte es, die Badeanstalt und einige Flüchtlinge durch den Krieg zu bringen, und tatsächlich waren die Bomben auf das untergehende Nazireich ein gutes Geschäft für ihn, vermutlich das einzige seines Lebens. Aber die Angst vor Tasso Birri hatte ihn müde und alt gemacht, und immer öfter kam es vor, daß er sich wie ein Flüchtling auf die karussellrunde Bank unter den Nußbaum setzte und geduldig darauf wartete, endlich unter den Sonnenschirm gerufen zu werden. Sein Sohn Jacobus hatte sich ganz den Wörtern verschrieben, hielt glanzvolle Reden, parlierte in allen Weltsprachen, führte erste Geister durch die Bibliothek, Fürstinnen und Generäle, während er, der Alte, mit seiner Appenzeller Pfeife immer stummer wurde und schließlich so versteint in der Landschaft hockte wie der alte Stark in seiner Stube. Ob das Gesetz des Augustinus auch für *Sachen* galt? Für den Alten schon. Er konnte lang und konzentriert etwas betrachten, zum Beispiel eine Flasche Schnaps, und wurde er mal gefragt, was denn so interessant sei an dieser Flasche, konnte er die Frage nicht verstehen. Eine *Flasche* soll das sein? Nein, für ihn gab es keine Gegenwart mehr, nicht einmal beim Nunu-Zeug. Aber das ist doch (leise): feinster Stoff, sagte der ehemalige Seidenfabrikant und betrachtete lächelnd die Schnapsflasche, ein Dessous aus der berühmten Sender-Linie.

Zwei drei Köpfe schwammen auf dem Weiher, ein gedunsener Körper trieb rücklings auf den Steg zu, und einer mußte gerade vom Turm gesprungen sein, hoch oben wippte das Brett, ein leises Geknatter – so stand es hinaus in den Glast.

Nun saß der Alte unter seinem Sonnenschirm, und auf der karussellrunden Bank hatten Trinker ihren Abendplatz eingenommen, ein Kreis um den alten Baum herum, stumm auch sie, müde und ausgezehrt. Sie hatten sich im Kiosk mit Flaschen versorgt, hatten auch dem Alten eine gegeben, jetzt legten alle die Köpfe in den Nacken, stießen den Flaschenhals in den Mund und sahen, als würden sie etwas sehr Schönes träumen, durch geschlossene Augen zum Himmel hinauf. Wieder knatterte das Brett, wieder schloff ein Springer ins Wasser, dann flogen von der Liegewiese die wenigen Badetücher weg, die wenigen Schirme wurden eingefaltet, die Liegestühle zusammengeklappt, aber den Alten und die Trinker schien das nicht zu kümmern, sie tranken weiter, bis jeder seine Flasche auf den letzten Schluck geleert hatte. Indes rutschte die Sonne tiefer, und da ihre Strahlen bald waagrecht in den Hang stachen, sank Großvaters Badeanstalt wie unter einem Sonnensegel in eine grünschattige Kühle hinab. Die Badegäste waren durch ihre Kleider andere, einander fremde Menschen geworden, traten nun aus nachtdunklen Kabinen, blieben kurz stehen, dann würden sie zum Damm hochgehen und im Himmel verschwinden. Nichts bewegte sich. Die Fahne tot. In den Blättern kein Hauch – und die Trinker, jeder eine leere Flasche in der Hand, hingen um den Nußbaum herum wie ein Kranz verwelkter Blumen. Aber irgend-wann würde unten in der Stadt die Glocke schlagen, und mit drei langen, die Wasservögel aufschreckenden Pfiffen würde mein Großvater bekanntgeben, daß die Anstalt geschlossen sei.

53

Ende der Saison. Keine Hochzeitspaare mehr, keine Ja-paner, keine Schulreisen. An einem trüben Vormittag hatte die Hochtoupierte ihre Überzieh-Pantoffeln abge-schüttelt, ohne Dank, ohne Blick, und war mit ihrer Gruppe davongeschritten, viele mit knirschenden Gum-mischuhen, manche schon mit Stiefeln, es regnete, es herbstete, die Tür fiel ins Schloß, im Treppenhaus ent-fernten sich die Schritte, es würde Frühling, bis sie wiederkämen, März oder April. Rüstig nur noch der Besserwisser, im Sturmschritt von Vitrine zu Vitrine rut-schend, komm doch mal her, Elfriede, na komm schon, schau, hier, auf dem Fenstersims steht das berühmte Ecce-homo-Bild des Johann Michael Büchler aus Schwäbisch-»Gmündt«, der in die Haare, den Bart, die Augenbrauen des dornengekrönten Hauptes die vollständige Passionsgeschichte eingeschrieben hat, mit der Feder, in Mikroschrift, lesbar nur mit einer stark vergrößernden... Elfriede?

Als wären uralte, vor Jahrhunderten versperrte Truhen von Geisterhand geöffnet worden, liegt auf einmal etwas modrig Ersticktes in der Luft, nach schweißigen Filzen riechts, nach vergessenen Papieren, nach mehlig verstaubten Büchern. An den Fenstern kleben Lichtblasen, doch scheint in der Helle schon der Winter zu lauern, die Kälte, die Erstarrung. Die Saaldiener Statuen. Die Bilder dunkel. Die Schatten schwach, der Bodenglanz erloschen, der Himmel tot. Elfriede, fragt noch einmal der Besserwisser, nach allen Himmelsrichtungen sich drehend, Elfriede!, unter die Vitrinen schauend, hinter die Säulen, Elfriede! Elfriede!, aber er fragt aufgeschlagene Bibelhandschriften, abweisende Bücherrükken, schweigende Tuotilo-Tafeln, Elfriede ist verschwunden, und was nun ein leises Knarren in den hautweichen Boden drückt, ist die Abendschöne, die auch heute ihre Runden dreht, ihre Kreise zieht, ihre Figuren läuft, schwebend und segelnd.

Die Bibliothek ist geschlossen!

Lächelnd nähert sich die Abendschöne der Schwelle, schiebt mir die Töffelchen zu, schenkt mir ein Lächeln, dann huscht sie durch den dämmrigen Flur auf die Zirkusmützen zu, ihre Tücher strudeln durch die Tür, flattern lautlos davon.

Bald müssen wir packen, sagte das Fräulein, deine Zeit ist um.

Ihre Winterhosen verströmten einen scharfen Kampfergeruch, und da sie ihre Tigerfinken gegen braune, schnallenbesetzte Pantoffeln ausgetauscht hatte, kam es mir vor, als würden ihre Füße in Brotlaiben stecken. Packen? Vielen Dank, Fräulein Stark, sagte ich mit einem feinen Lächeln, das kann ich allein.

54

Der Onkel faßte Mamas Telephon wie folgt zusammen: Ad eins, am ersten Donnerstag nach dem Rosenkranz-Sonntag hätte ich einzurücken, spätestens um drei Uhr nachmittags, dann würde die Pforte geschlossen. Ad zwei, Mama habe die Fahrprüfung bestanden und wolle mich mit dem Ford Taunus 17 M nach Einsiedeln chauffieren, meine Schwester und der Großvater väterlicherseits würden uns begleiten, sowie, ad drei: Mit Rücksicht auf den Großvater väterlicherseits empfehle sich eine vorzeitige Abfahrt, nach Möglichkeit schon im frühen Vormittag, weshalb es in jedem Fall von Vorteil wäre, wenn ich nicht erst am Vorabend zu Hause auftauchen würde. Er, der Onkel, möge den Fall mit mir besprechen, jedenfalls mache sie, Mama, den Vorschlag, daß ich die Bibliothek möglichst bald verlassen solle. So könnte ich zu Hause eine Zwischenstation einlegen, mich ausruhen, mich vorbereiten, um dann gemeinsam mit dem Großvater väterlicherseits und meiner Schwester in das voralpine Hochtal zu fahren. Im übrigen lasse sie grüßen, vor allem das Fräulein Stark, falls mein Koffer viel Gewicht habe, könne ich ihn am Bahnhof stehenlassen, sie würde ihn später abholen.

Vermutlich mit dem Ford, ergänzte ich verdutzt.

Der Onkel schwieg eine Weile. Dann sagte er: Sieht beinahe so aus, alter Knabe, als würdest du übermorgen von Bord gehen.

Unter den Ikonen flackerten die vielen kleinen Flammen, der Samowar köchelte, es roch nach Parfüm, Rasierwasser und heißem Wachs, in den Seidenkissen floß der Glanz eines hohen Himmels, wir hatten unsere Handschuhe an und genossen es, die kostbaren Seiten vorsichtig umzublättern. Die meisten Bücher und Unterlagen hatte ich zurückgegeben, so daß ich mich in diesen letzten Tagen in aller Ruhe um ein paar Luft und Mondschiffer kümmern konnte, die die NunuWelt weit überstiegen. Die Bändchen waren zweihundert Jahre alt, die Texte mehr als zwei Jahrtausende, aber hier, in den Büchern, wurde das All schon seit eh und je befahren, nomina ante res, die Wörter zuerst!

Natürlich hätte ich dem Onkel gern bewiesen, daß auch der Klosterschüler nicht gar so blöd war, wie er meinte, ich hatte in diesem Sommer einiges gelernt, nicht alles begriffen, aber vieles aufgenommen, und immer wieder, schließlich fast ein wenig wütend, machte ich an diesen letzten Abenden den Versuch, über meine Lectio mit ihm zu reden. Er ging nicht darauf ein. Er sagte nur: Jetzt interessiert er sich auch noch für die Raumfahrt?! –

beugte sich über die Lupe und irrte mit seinem Wüstenvater durch die Gassen.

Seine Einladung, noch einmal in den »Porter« zu gehen, dort eine Abschiedsrunde zu kippen, lehnte ich ab. Innerlich war ich bereits unterwegs, dachte an meine Kameraden und nicht ungern an den Präfekten, von dem mir das Fräulein erzählt hatte, er sei gebürtiger Appenzeller und als Gebets-, Jugend- und Seelenführer landesweit geschätzt. Alle würden wir eine Kutte tragen und schwarze, von den Müttern und Tanten gestrickte Kniestrümpfe. Vielleicht würden sie rutschen, Kniestrümpfe rutschen ja immer, und gewiß würde es unser Herr Pater Präfekt mit Wohlgefallen vernehmen, wenn ich den Kameraden erklären konnte, daß Immanuel Kant, der Vernunftphilosoph, nicht nur das Strumpfgürtelchen, sondern auch das Sittengesetz erfunden habe.

Nunu, dachte ich, sie werden schon merken, daß ich einer von ihnen bin.

55

Die letzten Tage liefen ab wie die Tage zuvor. Frühmorgens rollte im bodenlangen Nachthemd rundbäuchig der Onkel in meinen Schlaf: Salve nepos, carpe diem! Dann erklomm er die Altarstufen, die Meßgewänder mit der Linken raffend, hob den Kelch, jubelte das Wandlungswort, geriet in Verzückung, und ich, mit meinen Schellen klingelnd, senkte den Blick. Nach der Messe trank ich beim Fräulein meine Milch, und er, ein paar erste Zigaretten paffend, genoß das Frühstück des gesunden Menschenverstandes, die »Ostschweiz«. Punkt neun begann der Dienst, und wiewohl die Busse und die Besucherinnen erst im nächsten Frühling wiederkommen würden, im März oder April, nahmen die beiden Empfangsdiener gehorsam ihre Plätze ein, müde wie eh und je, eine uralte, längst erloschene Verzweiflung im Gesicht, Zirkusmützen auf den Schädeln, grüne Jacken, grüne Hosen, und an den herabhängenden, erstaunlich langen Armen hatten sie leuchtend weiße, immer frisch gewaschene Handschuhe. Ob das Fräulein in meinem Koffer gewühlt, die verklebten Kniestrümpfe entdeckt hatte? Möglich, gewiß, allerdings war allgemein bekannt, daß sie in diesen letzten Septembertagen mit anderen Dingen beschäftigt war, nicht mehr mit mir.

Das Fräulein hatte einen Plan, und sie würde ihn verfolgen, sie würde ihn umsetzen, gegen den Willen des

Onkels. Während des Mittagessens wurde kaum gesprochen, mürrisch trank er seinen Trollinger, verärgert über die Stark, es ging wieder los, ein neuer Krieg begann.

Um sieben nach drei rauschte die Spülung. Ein Hilfsbibliothekar stakste auf mich zu, leise: Weißt du es schon?

Ja. Die Stark will einen Kiosk, und Katz ist dagegen.

Sie wird ihren Kiosk bekommen, sagte der Hilfsbibliothekar.

Das glaubte ich auch. Für die Appenzellerin war der Kiosk ein Stück Heimat, auf jedem Gipfel gab es einen, und wie, bittesehr, hätte ohne Kiosk die Badeanstalt rentiert? Eben, sagte sie, da haben wirs, wo der Mensch sich wohl fühlt, Monsignore, da will er Ansichtskarten schreiben, schwarze Wässerchen trinken und Nußgipfel essen.

Es war ein Abend im letzten September. Der Onkel trug bereits seine Wintersoutane, und die Stark stand mit ihren Brotpantoffeln in der Tür, während ich, wie immer auf meinem Platz sitzend, zwei Stühle vom Onkel entfernt, zwar noch vorhanden war, aber ohne Wirklichkeit, ohne Bedeutung, ich spielte keine Rolle mehr, tempi passati.

Sie dürfen nicht vergessen, sagte jetzt das Fräulein, wir könnten auch Ihre Broschüren verkaufen.

Der Onkel legte seine Hände auf den Tisch, links und rechts vom Suppenteller, drückte sich gegen die

Rückenlehne seines thronartigen Sessels und sagte, den Blick zur Decke richtend: Fräulein Stark, ich erinnere mich nicht, die Klingel gedrückt zu haben.

Sie nickte. Den Kiosk, hab ich mir gedacht, stellen wir rechts vom Eingang in die Fensternische.

Liebe, wer ist der Chef?

Sie, antwortete das Fräulein schlau, haben die Bücher unter sich, und ich werde dafür sorgen, daß wir mit dem Kiosk eine schöne Stange Geld verdienen.

Fräulein Stark, setzte er wieder an, wir sind eine Bibliothek. Wir haben die vornehmsten Schätze des Morgen- und Abendlandes an Bord, von Aristoteles bis Zyste, und ich erlaube es nicht, weder Ihnen noch sonst jemandem, daß der hehre Geist durch schnöden Mammon beleidigt wird!

Doch, sagte sie.

Nein, sagte er.

Unter der hohen Decke funkelten die Kristallprismen des Kronleuchters, die Fenster waren dunkel geworden, die Vorgänger des Onkels in der glänzenden Firnis verschwunden.

Monsignore, hob sie wieder an, der Bub war nicht billig, er hat uns zusätzlich Geld gekostet, einen ganzen Sommer lang, und überhaupt: Was haben Sie gegen den Kiosk? Auch Ihr Vater hatte einen.

Ich warne Sie.

Es ist die Wahrheit.

Silentium!

Ohne den Kiosk hätte ich die Badeanstalt nicht durch den Krieg gebracht.

Der Onkel stöhnte auf, aber die Stark kannte keine Gnade. Was ist denn dabei, erklärte sie mit ihrem Madonnenlächeln, die Katzen haben immer Handel getrieben, mal mit Stoffen, mal mit Nunu-Zeug.

Fräulein Stark, schrie der Onkel, außer sich vor Wut, rot am ganzen Kopf, davon will ich nichts mehr hören, nie mehr, kapiert?!

Aber die erste Post, die ich in der Klosterschule erhielt, war eine Ansichtskarte des Barocksaals der Stiftsbibliothek und stammte aus dem Kiosk, den das Fräulein erwartungsgemäß durchgesetzt hatte. Das Geschäft laufe zunehmend besser, hatte eine fremde Hand geschrieben, man verkaufe schwarze Liköre, natürlich aus dem Appenzellerland, Nußgipfel, Kaffee und hie und da sogar eine Broschüre von Monsignore. Ich stellte mir vor, wie sie madonnengleich hinter ihrer Lade thronen würde, den grasgrünen Jäger keck vor dem Knoten, Krausen an den Ärmeln, am Hals, am Busen, und da erst entdeckte ich, daß sie selber unterschrieben hatte, mit einer girlandenartig eine hauchdünne Bleistiftlinie umrankenden Kinderschrift: Frl. Stark.

56

Als ich die Karte erhielt, war es längst wieder Frühling geworden, draußen blaute ein lauer Mai, von den übervollen Dachtraufen tropfte das Tauwasser, im Innern jedoch, in den Gängen und Sälen der Klosterschule, herrschte nach wie vor ein strenger Winter. Unser Präfekt verteilte einmal in der Woche die Post, doch sagte er nicht Post, sondern Pöst, nicht Woche, sondern Wöche, nicht verlogen, sondern verlögen. Jedes O ersetzte er durch ein Ö, jedes U durch ein Ü, und zögerte einer von uns, im Duschkeller unter den Wasserstrahl zu treten, sprach der Fromme: Öb er vielleicht ein Jüd ist, der befürchtet, wir könnten ihn heimlich taufen wöllen?

Dann lachten die andern. Man mußte lachen. Und der Fromme, wie immer ein Mariengebet flüsternd, zog sich in die Dampfwolke zurück, um die Dusche von heiß auf kalt zu drehen. Auf eiskalt. So lernten wir, gern in die Kutten zu schlüpfen. Auch ich lernte es, und das satte, genußforsche Lachen, wenn sich ein vermeintlicher Jüd vor der Dusche zu drücken versuchte, lernte ich auch.

Hatte mein Onkel doch recht: Nomina ante res? Ich vermute es fast. Bevor wir geboren werden, ist unser Garn gesponnen, der Stoff gewoben, die Nase krumm, der kleine Katz getötet und der Klosterschüler im Namen des Vaters obenauf. Aber lassen wir das — lassen wir das

Spekulieren. Ich wollte meinen Sommer in der Bibliothek erzählen, nicht mehr, und da er nun zu Ende ging,
mußte ich meine restlichen Sachen in den kniesockenge-
füllten Koffer legen und den Deckel zupressen. Das Fräulein half mir dabei. Als wir es endlich geschafft hatten,
sah sie mich von der Seite an, lächelte und sagte: Keine
Angst, dummer Bub. Die Socken sind gewaschen.

In der Nacht begann es zu regnen, kalte Winde wehten, der Herbst war da, und am andern Morgen, als ich
wie immer in den Pantoffeln lag, hatten wir zu meiner
Freude noch einmal Kundschaft. Es war eine sonderbare
Truppe, gewiß, doch wurde sie bedient wie alle andern,
der Türhüter öffnete mit letzter Kraft das Portal, und der
Garderobier stellte sich hinter den Tresen, um halb im
Schlaf entgegenzunehmen, was gemäß Vorschrift abzugeben war: Mantel, Schirme, Taschen, kurz, alles, was
die heilige Bücherwelt und meinen Boden zu verletzen
drohte. Dann kamen sie angeschlurft, vorsichtig sich um-
blickend, und ein paar Augenblicke lang glaubte ich
wirklich, es würde, wie Augustinus lehrt, keine Gegenwart geben, kein Jetzt, nur die Vergangenheit. Aber das
waren nicht, wie ich zuerst geglaubt hatte, die jüdischen
Flüchtlinge aus Großvaters Badeanstalt, das waren Pen-
ner und Hausierer, die an Bord der Bücherarche etwas
Wärme suchten. Einer nach dem andern zitterte seine
ausfransenden Schuhe in die Filzkappen hinein, dann
rutschten sie unter das Portal, hoben langsam ihre Köpfe

und stießen, von der funkelnden Pracht der Bücher und Bilder überwältigt, ein kaum hörbares Oh! aus.

Schutz vor dem Regen suchten sie, Schutz vor dem anbrausenden Herbst, aber da es nicht einmal den Aufsehern erlaubt war, sich zu setzen, zogen sie langsam von Vitrine zu Vitrine, betrachteten die Tuotilo-Tafeln, bestaunten die Nibelungen-Handschrift B, das berühmte Ecce-homo-Bild des Johann Michael Büchler aus Schwäbisch-»Gmündt« und die sonnen- und zeitversengten Holzkästchen, die Buch 7 einer 36bändigen Ausgabe des Tao-te-king enthielten, verfaßt vom Philosophen Lao-tse um 600 ante Christum natum.

57

Ich war leise gekommen, so ist es hier üblich, man geht leise, man spricht leise, furzt leise und rülpst leise, die Stille ist heilig, niemand will die Lesenden stören, weshalb es ziemlich lange dauerte, bis mich die Hilfsbibliothekare bemerkten. Das langsame Geklapper wurde dünner, dann setzte es aus. Ein Kopf nach dem andern drehte sich in meine Richtung. Vize Storchenbein fragte: Gehst du heute von Bord?

Ja, antwortete ich.

Viel Glück, alter Knabe.

Auch das wurde leise gesagt, eher geflüstert, und

schon ließen sie ihre Köpfe wieder sinken, die einen, um die Tasten ihrer Remington zu betrachten, die andern, um ihr Nickerchen fortzusetzen.

Vor dem Scriptorium wartete das Fräulein. Sie trug ihre Sonntagsbluse aus Crêpe de Chine und einen Faltenrock, den ich zum ersten Mal an ihr sah. Der kleine Katz, dachte ich, hätte wohl sein Leben riskiert, um einen Blick unter dieses dämmrige Zelt zu werfen, aber Katz war tot, und das Fräulein schien es zu wissen. Sie begleitete mich vor das Tabularium, und bevor ich klopfen konnte, drückte sie mir ihren Daumen auf die Stirn und zeichnete ein Kreuz. Täuschte ich mich, oder hatte sie tatsächlich Tränen? Ich wandte mich ab.

Venite!

Und trat ein.

Alles wie immer. Das Haupt des Onkels schwebte planetengleich über der Lupe, unter der er seinen Wüstenvater verfolgte, den armen Wahnsinnigen, der sich in Paläste zu retten versuchte, die er selbst, vielmehr sein Wahnsinn, in den Wüstensand gewundert hatte. Ich bin dagegen, sagte der Onkel, ohne aufzusehen, und dabei bleibt es.

Ich räusperte mich.

Nein, Liebe. Roma locuta, causa finita, ich will keinen Kiosk, punctum, finis.

Ganz deiner Meinung, Onkel.

Er sah auf. Ach, du bist es. Worum gehts?

Ich möchte adieu sagen.

Er schraubte seinen Federhalter in die Hülse und legte ein gelbes, engbeschriebenes Fähnchen zwischen die Seiten. Reichts noch für einen Letzten im »Porter«?

Um elf geht mein Zug.

Nunu, er zückte seine Taschenuhr, dann ist es wohl zu spät.

Ja, Onkel. Bene sit tibi futurus.

Futurum, korrigierte er mich und beugte sich wieder über die Lupe, einen lateinischen Spruch murmelnd, vielleicht einen Segens- oder Adieuwunsch, doch wußte ich nicht, ob er mir gelten sollte oder dem Wüstenvater auf den gelblich gefleckten Pergamentseiten des uralten, handgeschriebenen Buches. Ich zog die linke Braue in die Stirn, er ahmte mich nach, da grinsten wir beide. Ja, ganz konnten wir unser Geschlecht nicht wegschummeln. Die Katzenbraue stand in die Stirn hinauf wie ein Seidenstrumpf, den ein Strapsbändelchen am Oberschenkel in die Höhe zurrt.

Als ich die Tür geschlossen hatte, blieb ich eine Weile stehen. Drückte sich die Stark vor dem Adieu? Oder war sie bereits mit ihrem Kiosk beschäftigt? Leblos hingen die Arme des Türhüters herab, und die weißen Clownshandschuhe krümmten die Finger ein wenig nach hinten, gerade so, als hielte er in seinem Rücken einen unsichtbaren Sargdeckel auf. Der Herbstwind sprühte Tropfen gegen die Scheiben. Ich öffnete den Hemdkragen zu einem V, warf den Schal über die Achsel und überlegte, ob ich hier oder erst auf dem Bahnhof meine erste Zigarette anzünden sollte, eine Parisienne ohne Filter, die ich dem Onkel geklaut hatte. Auf dem Perron, entschied ich. Mach, daß du endlich fortkommst. Wie üblich tönten aus dem Scriptorium die Remingtons, und ihr plingloses Geklopfe, das wußte ich inzwischen, würde die Zeit nicht totschlagen, sondern ins Unendliche verlängern. Nein, ihr armen Schreiber, der letzte Tag wird euch nicht als Sieger finden, nicht einmal als Kämpfer, dachte ich, nahm mit Schwung den Koffer, zog selber den Riegel auf, stieg von Bord und fuhr in einem Taxi, das das Fräulein für mich herbeitelephoniert hatte, zum Bahnhof. Was sind schon acht Jahre, sagte ich mir. Die wirst du absitzen, wie du diesen Sommer abgesessen hast, und dann, alter Knabe, kann das Leben beginnen, pulcher et speciosus! *Finis.*